社長！
「経営者」に
なる気がないなら
今すぐ
退場しなさい！

マネジメント社

はじめに

　みなさん、どうもはじめまして。著者の篠﨑啓嗣です。

　この本の内容はじつに過激になっております。なぜなら、私の本音を隠すことなく語ったからです。
　私は経営コンサルタントをしていますが、本音でぶつかる、いわゆる「ストロングスタイル」で勝負をしています。

　「社長さん」が「経営者」にならないと、令和の時代を生き抜いていくことはできません。この本では、経営者になってもらうためのヒントをまるごと篠﨑風に語りました。
　社長さんと経営者とは何が違うの？　と思う人がいるのでしょうが、「社長さん」と表現しているところと「経営者」と表現しているところがあり、明確に区別しています。

　私は銀行員から現在の経営コンサルタントまでの30年間、中小企業の財務に関する仕事をしています。
　銀行員として、保険人として、そして現職の経営コンサルタントとして、3,000社以上の中小企業の代表者とお会いしています。

日本の中小企業は260万社ありますが、残念なことに、95%の247万社の代表者は「社長さん」です。「経営者」といわれる人は、せいぜい5%の13万人ぐらいではないでしょうか。

　この数字を見て驚きを隠せない人が多いと思いますが、これが日本の中小企業の実態です。

　これが、平成5年4月に銀行員となり、平成6年12月より外訪活動をして、中小企業の代表者と直に接してきた私自身が抱いているイメージです。

　ちなみに、社長さんは自分の会社の決算書すら読めないし、赤字の要因も理解しているようでしていません。会社のお金が不足しているのであれば銀行から融資を受ければいい、経営計画は絵に描いた餅だから作成する必要はないと考えている。当然のごとく資金繰り表は作成できません。

　これが中小企業の実態ではないでしょうか。

　さらに社長さんは、企業を私物化にする傾向があります。もちろん銀行はその動向を観察しているので、そのような会社に新規融資はしないのです。

　逆に、経営者は社長さんと真逆のことをしているので、コロナ禍でも自社の進むべき方向性が明確にあります。経営計画の策定にも取り組み、資金繰り表の根拠もあるので、

銀行も安心して新規融資をしてくれるのです。

　経営者と言われる人が会社を私物化などしないことは言うまでもありません。

　コロナ禍や厳しい経営環境はまだまだ続きます。

　社長さんのままでは生き抜くことはできません。

　経営者になるしかないのです。

　この本が、あなたが経営者になるためのきっかけになれば幸いです。

　　　　　　　　　　　　　　　　　　　　篠﨑 啓嗣

もくじ

はじめに

第1章
「社長」ではなく「経営者」になるなら
最低限知っておけ！

第2章
銀行とはこう付き合え！

第3章
資金繰り表が作れない社長はアウト！

第4章
会計事務所の実態を知れ！

第5章
保険人は経営のことなんてわからない

おわりに

第 **1** 章

「社長」ではなく
「経営者」になるなら
最低限知っておけ！

先人から学べ

> **しのざき総研** @ginkouyushipro 2021年2月13日
>
> 中小企業の社長は財務管理が苦手だと感じます。簿記2級レベルの仕訳がわからないと、会社の成長ステージに合わせた資金調達や銀行取引ができなくなります。ドラッカーの「経営者に贈る5つの言葉」を理解して実践できるようになってもらいたいですね。ドラッカーと簿記＝論語と算盤になるのです。

　アメリカの経営学者で「マネジメント」を発明したとされるピーター・F・ドラッカー（Peter Ferdinand Drucker）。彼が日本の渋沢栄一を知ったときに「俺がやっていることを先にやっていた人がいる」と感動したという逸話があります。

　ドラッカーは有名ですから、中小企業の社長なら名前ぐらいは知っていると思います。

　でも、ドラッカーのことを勉強したかというと、してい

ないんですよ。『もし高校野球の女子マネージャーがドラッカーの「マネジメント」を読んだら（略称「もしドラ」）』（ダイヤモンド社）なんて本があんなに流行ったにもかかわらず、です。

　先人から学ぼうとしない。学問を通じて知ろうとしないんですね。

　私は、一倉定という伝説の経営コンサルタントをリスペクトしていますが、そういう人から学べばいいんです。

　よく理念が大事だと言われますが、理念は作ってそれが定着するまでに10年以上はかかるんですよ。

　「理念コンサルタント」もいますが、彼らは理念を作らないとお金にならないからやってるだけです。

　理念の前に、社長はまず自分の生きざまを振り返ってみないといけません。自分がどういう生き方をしているかわからない人が、自分の社員に自分の背中を見せられるはずがないでしょう。

　中小企業の場合、社員にとっては社長がすべて。社長がそのまま投影されて、リスペクトされてついていくかが決まるわけですから。

　社員がついてこないのは社長がリスペクトされてないだけです。難しいことではないですよ。

決断しない社長は無責任だ

しのざき総研 @ginkouyushipro　2022年4月14日

経営者は孤独でなければならない。そもそも人は生まれてくるときも、死ぬときも一人だ。経営者は最終決断者であり、周囲に相談しても答えは出ない。また、経営者とは責任者でもある。だから、あえて孤独になる習慣を身につけないと、責任、つまり、事業継続ができなくなる可能性が高くなる。

　人間がなぜ孤独じゃなきゃいけないかを知らないだけ、孤独という言葉の使い方を間違っているだけなんです。

　意思決定するときに、すべて誰かに相談するわけじゃないでしょう。

　モノを作るとき、仕入れるとき、お給料を払うとき、採用するとき。1日にいくつの判断をしているのか。年間にいくつの判断をしているのか。

　そういうときに、いちいち誰かに相談するのかと。

社長・経営者は責任を取らなくてはいけません。

責任を取るために決めるんですよ。決めないってのが一番無責任なんです。

だから孤独になって判断する。

物事を自分で判断できない「社長」は、孤独に苦しむ。

責任感のある「経営者」は、孤独ではあっても孤独だなんて言わない。

判断基準を持つかどうかなんですよ。言われたことに右往左往したり、迎合したりするのは愚の骨頂。

判断できるための知識なり見識を自分が持っているかどうか。物差しを作ろうとしているのか。それがなければすべて第三者の影響力で決まってしまいます。

例えば今、食材でもなんでもあらゆるものを値上げするという風潮ができつつあるけど、なんでその決断をできないのか？

周りに合わせているから？ 様子を見ているから？

時は金なり決断は金なり。タイムイズマネー、タイミングイズマネー。

決断ができない人は駄目。判断のタイミングですね。

「経営者」は美しく「社長」は醜い

しのざき総研 @ginkouyushipro　2021年2月20日

2021年の大河ドラマは渋沢栄一でした。論語と算盤を知っている人は多いと思います。今流に言うならば、ドラッカー×簿記になるのでしょう。また渋沢は 「道徳経済合一説」 を説いています。令和時代、社長がこの考え方を理解して行動できない会社の末路がどうなるかは言うまでもないと思います。当たり前の時代の到来です。

　ご存じだと思いますが、「道徳経済合一説」とは、経済活動において、公益の追求を尊重する「道徳」と、生産殖利である「経済」はともに重視すべきであり、どちらかが欠けてはいけないという考え方です。経営者であれば、この考え方に基づいて行動するのは当たり前のことだと思うんです。

ところが、社長は、経営者になるための勉強なんてやってないですね。

　例えば親が子どもに対して、社会人になるための情操教育を施すでしょう。必要最低限のしつけです。

　人のものを盗ってはいけない、交通ルールを守れ、集団生活でわがままを言うな、などのほか、箸の持ち方や食事中の作法など。そういったことがまともにできていない大人が多い。

　そういう人が社長になったらどうなるか。

　イジメをする社長がいますが、私が最も嫌いなことです。私は、イジメは許しません。銀行員時代には支店長にいじめられましたけど、いじめ返しました。相手が支店長だろうが何者だろうが、理不尽なことをされたら許しません。

　社会的なルールや法律は、当然守らなければいけません。コンプライアンスとして。

　それ以外は自由じゃないですか。

　「社長さんは時間があっていいですね」なんて言われることがありますが、時間があるほうが大変で、時間をコントロールしなきゃいけない。

　社長なんて、会社を設立して、名刺に刷ればいいだけで、その諸費用 16 万円くらいあればなれるんですから。

　社長ってのは馬鹿でもなれるけれど、経営者は馬鹿ではなれない。

　経営者になるための作法を知っててやっているのか。

　その根幹は渋沢栄一です。

　経営者は美しい。

　社長は醜くてカッコ悪い。

　私も周囲からは「社長」と言われますが、本音ではイヤですね。社長はゲスだと思っています。

　経営者になるための「資格」があるはずなのに、それを知らない人が多いし、それを放棄してしまっている。

　そんな「社長」の会社がどうなるか、言うまでもないことです。

経営を学ばず会社を引き継いでどうする？

しのざき総研 @ginkouyushipro　2021年10月30日

事業承継を考えている社長さんはたくさんいる。後継者がいなくて困るというが果たしてそうなのか!?　多くの社長さんは、社長の肩書のまま死にたいと心の底では思っているのではないかと思う。 65歳を越えて経営判断をするときに、経験＜加齢になることをわからない残念な社長さんが多い。

　息子が父親の会社を引き継ぐケースは多いようだけど、ほとんどが何も学ばずに引き継いでしまっています。

　私がいた銀行にもそういうのがいましたよ、家業を継ぐために修業的に入ってくる者が。
　最初から辞める前提でコネを使って入ってくるんです。でもほとんどが3～5年ほどで辞めてしまう。
　そんな短い期間で何か習得できるはずないんですよ。

　金の動かし方や管理の仕方を学ぶなら、最低でも10年は勤めないとダメです。経営のための学びにならない。

　「石の上にも3年」って言いますよね。銀行の場合は「3・3・3」という言葉がある。3日、3か月、3年です。
　入って3日で辞める者はさすがに稀有ですけど、3か月で辞めてしまう者はけっこういますね。
　私の時代は入行3年後でも99%くらいは残っていましたけど、今は3年で半分近くが辞めているようです。
　何のために銀行に入ったんだか。何にも得られないで辞めていくんですから。

　後継者に経営を学ばせるためなら中小企業で修業するのがいいんです。
　会社を引き継ぐにしても、そもそも簿記・会計を学んでいないし、経営計画の立案もできないような後継者が多いんですよ。
　従業員からリスペクトされるには精神鍛錬が必要なのに、それもできていない。
　例えば、雨が降っても雪が降っても新宿駅辺りで托鉢ができるなら、それが一番手っ取り早い精神鍛錬になりますよ。あとは日本経営史を教え込めばいい。
　経営のための学びならば、銀行なんかよりも中小企業に

入れることです。

　そこで丁稚奉公させるのが一番いいと思います。そこの社長のカバン持ちやるのが最大の学びですよ。

　そういう下積み的なことも経験しないで、まともな経営者になんかなれっこない。

　後継者に対する教育が何一つなされていないから、事業承継ができないのは当たり前です。

　創業者の息子だからといって、すべての社員からリスペクトされるとは限りません。

　輸血と一緒で、社員の中に新しい社長の血を流し込んだとき、それが適合するかどうかなんて誰にもわかるわけがない。

　誰が決めるかって、社員が決めるんですよ。

　何が一番大変かというと、ナンバー２や総務・経理の古株からイエスをとることです。

　彼らは後継者である息子を子どものときから知ってるから、なかなかリスペクトすることができないんです。

　後継者が平社員から３倍ぐらいのスピードで実績を上げない限り、リスペクトしない。

　創業者は傍観するしかないということです。

長く続く企業ほど変革ができる

しのざき総研 @ginkouyushipro　2022年5月5日

業歴が長い企業ほど環境変化に対応できている。なぜなら30年間に一度は起きる小さな環境変化に対応しているから。また、100年に一度の大局的な環境変化にも対応している。つまり、業歴の長い会社ほど、ぶれない経営理念が存在しているし、事業継続のためには現在のビジネスモデルも変える大胆さがある。

　例えば300年、400年続いているような企業には「家訓」があることが多い。家訓ってのは、要するに理念ですよ。

　100年以上続いている企業が簡単には潰れないのは、ちゃんとした理念があるからです。

　そういった長く続く企業っていうのは、じつは30年ほどのサイクルで必ずいいとき悪いときがあるものなんです

よ。悪いとき、つまり「底」にいるときにそういう企業は修復ができている。ビジネスモデルを変えているんです。技術革新ができるのは業歴が長いところなんです。

　一番わかりやすいのは「うなぎのタレ」だ。しかも継ぎ足されている「タレ」。
　江戸時代の火事、大正の関東大震災、そして昭和であれば戦時中の空襲、そのような非常事態に、老舗の鰻屋は自分の命を捨ててでもタレの壺を守るといわれている。
　それは今の時代でも変わらない。
　そこまでして「タレ」を守るには、理由がある。それは代々受け継がれてきた「秘伝の味を守るため」だ。秘伝の味は、時代の環境変化すら凌駕する。
　そして、基本を守り続けていく過程で、時代の環境変化に対応しているのだ。うなぎのタレでいえば、営業を続けていく限りタレは毎日一定量足され、味が少しずつ変化していくだろう。
　その変化に対応していくことが、基本を守りながら継続していくこと、すなわち秘伝の味＝家訓＝理念になるのだ。

借金＝悪のイメージがあるうちはうまくいかない

しのざき総研 @ginkouyushipro　2022年3月31日

日本には借金＝悪という考えが根づいている。また、銀行融資に対しても同じイメージがある。借金＝悪ではない。借金を悪ととらえている社長さんは経営に自信がないからだ。経営者は会社を大きくするめの先行投資として、意識して借金をするのだ。

　親から「会社を継げ」と言われ、息子が決算書も見ないで、借金がいくらあるかも知らないで引き継ぐケースがあります。

　ところが、団塊ジュニアから下、つまり昭和48〜50年生まれ以降の後継者の場合、妻が夫のあらゆることに口を挟んでくる。もちろん仕事の話も。

　「お義父さんの会社、かなり借金があるんじゃないの？」と言われることもよくあるようです。

　例えば年商10億円で、内部留保が4〜5億円あって業

績もいい会社なのに、借金が３億円くらいあると、奥さんに「こんなに借金があるのであれば他の誰かに代表を譲って辞めなさい！」などと言われかねません。

　普通にやっていれば返せない借金じゃないのにも関わらず、借金＝悪ととらえる人は、心配になる。その結果、夫婦関係も崩壊してしまうことがしばしあるのは事実。このパターンの場合、妻の育った環境は親が公務員や会社員が多い。逆に、親が会社経営をしているケースでは、業績に関係なく商売がどういうものかある程度は知っているので、借金の話で夫婦関係が崩れることはあまりない。

　そういうものなんですよ。つまり、前者は嫁に殺されるパターンです。夫も知らない間にやられてしまうからこういうパターンを "ステルス" と言うのです。

　借金は悪だという、日本特有の儒教的な考えでしょう。賤商意識というのが日本人には残っている。お金に関することはキタナイことだという意識がある。

　この賤商意識が排除されない限り、事業承継どころか日本の経済がうまくいくことはありません。

　もちろんお金は汚いものではない。汚いと思う人はお金に操られているから。お金は自分の時間を自由にするための活性剤になる。これを Time is money と呼ぶのです。

素直でない社長は切られる

> **しのざき総研** @ginkouyushipro　2022年4月13日
>
> 再生フェーズになった企業の生死の分かれ目は社長の心の中にしか答えはない。社員やコンサルタント等具申をしてくれる人の意見を真摯に受け止めることができるかどうか……素直さに年齢は関係ない。V字回復をしている会社の特徴の一つだ、と再生コンサルをしていて感じる。

　多くの中小企業は戦略がない。

　戦略とは、戦うときに策を練り勝利に導くための計略であり、また、長期的かつ戦いの全貌を見るもの。

　戦略は前段階のミッション、ビジョンにつながる。

　ただし、中小企業の場合、企業業績に一番大きく反映しているのは、社長の考え方や生き様、そして素直さです。

　素直に聞けない社長、私は切る。ちなみに私は先生でも

なんでもない。クライアントの鏡になっている、ただそれだけ。面談をするときに心理学を応用して、相談者に企業の実態を理解してもらうようにしています。

　面談やコンサルティングをしているとき、感情を抜いて勘定で話を聞いていると、クライアントの将来が見えてくる。だからこそ、この先は将来がないと見えたときは、私から縁を切るようにしている。それが本来の親切心というものだから。

　面談者の鏡になることを「ミラーリング」と言います。

　私のコンサルティングを継続的に受けているとミラーリングの効果が出てくるので、自分がどうなっていくのか、クライアントもわかるようになる。

　ただ、人の話を聞けないクライアントは一定割合存在する。このような人は表面的に変わりたいと口にはするものの、目の奥が真剣になっていない人は100％変われない。変わる人は「明日から～します」とは言わない。「今からします！」と言うのです。

　人はなかなか変われないものだ。だから、変われた人は勝てる！　けれども、変わりたいと思っていない社長がほとんど。変われればいいかな…くらいにしか思ってない。

　変わるには苦難がともなうのです。

簿記をいい加減に見てたら経営はできない

しのざき総研 @ginkouyushipro　2021 年 10 月 29 日

『論語と算盤』 ですが、中小企業の経営者は、算盤の部分を受け止めたほうがいい。簿記を身につければ、赤字はなくなると思う。ほとんどの中小企業の社長は簿記を理解していない。簿記を小馬鹿にする人は脇の甘い経営をしているものだ。今からでも遅くはないから簿記を学ぼう。

金の流れをつかむのが算盤（簿記）。

　金の流れをつかもうと思ったときに、簿記の仕訳で、例えば資本金が 1,000 万円。その 1,000 万円を使って、銀行からお金を借りるまでに資金を回収できる仕組みを作らなければ、その会社はゲームオーバーになる。このような単純なことすら社長さんは知らない。

　簿記と会計は社会人としてのマナーです。この 10 年間、私は企業経営者や会社員に関係なく、「簿記や会計の勉強

をしなさい」と言い続けている。また、営業だろうが製造だろうが関係ない。工場にいたら原価管理を考える。営業職だったら相手の企業情報を収集して、経営状態がどうなっているのだろうかと考える。公務員以外は絶対必要なんです。

　そんなことも知らないで生きていることを恥ずかしいと思わないと。社会人の必須科目ですよ。

　簿記・会計やっている人は自分に勝っていると思います。やってない人はまずお客さんのところでリスペクトされない。なぜなら、会話に数字とその根拠が内包されていないので、深みも出てこなければ、説得力もない。まして社長が簿記を理解していないなんて、お話になりません。

　一方、論語は、人としての生きる道です。つまり心構え。そこを算盤で考えていったときに、世の中の流れに沿った形で迷惑をかけないようにやってるのかってことです。

　入るものと出ていくもののバランスを考えないとだめです。「賤商意識」の打破が「士魂商才」。ブレないようにするためにはこの両者のバランスが大切です。

　武士の魂を持ちながら商売で勝てるようにやる。モラルやルールを守ってやるってことです。

　社長がモラルを持ちながら商売に取り組んでいるのかですね。

勉強している経営者はセンスもいい

しのざき総研 @ginkouyushipro 2021年3月1日

社長は簿記を学んだほうが商売に活かせる。仕訳が
わかんない人にはさじ加減の本質は理解不能です。
また、数字を読み解けない人は、すぐ感情的にな
る。勘定を理解していないから短気になるのです。
簿記は算盤です。いくつになっても学びは必要で
す。今やらないと経営者にはなれないでしょう。

　繰り返しますが、まず簿記・会計。これは絶対にやらな
ければダメ。

　修験者ではありませんが、自分であれやるこれやると決
めたら、やり抜くこと。精神的な鍛練が絶対必要です。比
叡山なんかで修験者にならなくても、俗世間を離れて何か
をやり抜くくらいのことがなければ無理です。

　私は大学時代に会計学研究会に所属していて、大学で勉
強するサークルにいたんです。

気持ち悪いってよく言われますけど、私、8時間でも電卓たたいていられますから。ずっと同じことをやり続けられますからね。

　カネの流れが読み解けるまで決算書を読む、自社の決算書を読み続ける。勘定科目がわかるというレベルよりも、もう少し踏み込んだほうがいいですね。

　経営者は商流をわかっているはずです。社員がいて、道具は何が必要で、どこから仕入れて、とか。仕事の流れを仕訳になぞらえることができるか、勘定科目を合わせていけるようになることが、私の言う簿記・会計です。
　10億円以上売上を上げ続けている会社の経営者はセンスがいい。自分で勉強しています。勉強していることを言わないだけです。
　だから、経営者はコンサルタントを信用しません。私も経営コンサルティング会社を経営していますが、大学生のときから30年以上継続して、簿記・会計の基礎に取り組み続けている。その土台があるので、経営計画を立案して、10年連続で“目標オーバー”という結果が出ているのです。

ラクにもらえる補助金はこわい

しのざき総研 @ginkouyushipro 2021年2月15日

事業再構築補助金に群がる社長やコンサルタントが多い。弊社は経営革新等支援機関なので、補助金の支援もしていますが、今回の補助金は使い方を間違えると大変になることを知らない人が多すぎです。国は補助金の使い方を見ていますし、申請通りに使われていなければ大変なことになるので要注意です。

　中小企業がV字回復するための補助金、それが「事業再構築補助金」だ。この補助金は、事業計画に根拠があれば、比較的ラクにもらえる。

　本来はすでに新規事業の計画があって、自前の資金でもやりたいと考えているなら、この補助金はいい使われ方をするが、安易に目的もなく兼業やったりしている中小企業があるのが現実だ。

まともに事業再構築を考えてないんですよ。まとめて金が入ってくるから。

　そんなことではこの補助金を取得しても V 字回復できるかどうかははなはだ疑問です。

　一方、補助金支援で経営計画を作成するコンサルタントには 5 〜 10％くらい入ってくる。

　事業再構築補助金は 2,000 〜 3,000 万は普通だから、200 〜 300 万入ってくる。10％はデカい。

　この補助金をゲットするには 2 つのポイントがある。事業計画書には、そのポイントがしっかり入っていなければ間違いなく採用されない。

　1 つは、新規事業に会社の「強み」が生かされているかどうかです。これは SWOT 分析をやればわかります。例えば、製造業であれば、今の加工技術を生かせるとか、小売・サービス業であれば、現在の顧客をコアな顧客として販売先を拡大できる、といったことです。

　もう 1 つは、新規事業の売上の「根拠」が明確であることです。根拠のない、ただ羅列しただけの数字を入れた計画では、絶対に採用されません。

　このことをコンサルタントがわかっていればいいが……。

職人気質だけで経営はできない

しのざき総研 @ginkouyushipro　2022年2月21日

倒産しようと考えながら経営をしている人はいない。だが、ある一定数は景気に関係なく倒産していく。それは経営のイメージがつかめていないから。ただ、がむしゃらに行動しても成果は出ない。職人気質の社長さんは、これからの時代は経営についての知見を高めないと生存競争に打ち勝てないだろう。

　中小企業の社長さんの中には職人気質の人がいるが、職人気質で食えてたってのは、もう過去のこと。

　職人気質って何？　その前に経営者でしょ？　職人気質ってのは、経営者精神じゃないよ。外部環境要因の分析を自分でやりなさいよって言いたいんです。

　昭和と平成の前半までは、売上のことを考えなくても経

営はできた。資金は銀行がなんとかしてくれた。

　今はマーケティング、採用と人材育成、それぞれ大切。職人はそんなことしなくてもよかった。仕事があったんだもん。「べらんめえ、誰がやるか！」って。そんな状況だから何も気づけない。銀行から金が借りられないことを銀行のせいにばかりしている。自分自身が脱皮できていない。

　ヒト・モノ・カネっていう経営の三要素と言われているものの中でモノだけなのが職人の世界。モノで一定レベルを超えていたからできた。

　今は違う。ヒト・モノ・カネ・情報・環境。5つになっている。このうち、カネはあとでもいい。ヒト・モノをうまく回していったらカネはついてくるんだから。

　でもそれをうまく回すのには、情報を入手して、環境に適応させなきゃいけない。

　中小企業も新卒社員を入れていかないとダメですね。新しい血を入れていかないと。

　10年経てば平均年齢は10歳上がる。時代と環境の変化に対応していこうと思ったら若い血を入れていかないと。

　中途採用しかでさない会社は、経営者に自信がない。育てる自信がないってことですよ。

根拠のない仮説なら言うな

しのざき総研 @ginkouyushipro　2022年2月15日

自分に感性があると勝手に信じ込み、新規事業を立ち上げて失敗する社長さんが多い。「銀行から融資が受けられれば」が口癖。そんな中小企業の社長は"経営者"になれないと私は思う。その会社の過去数年間の決算書や経理体制を確認すれば、5年先のその会社はわかる。

　新規だけじゃなく既存の事業でもそうですよ。

　新しい取引先が増えたときに「お金が借りられれば、間違いなくウチは復活するから」と。

　いやいや、すいません。過去で成功していないってことは、未来に対してうまくいくというコネクト、つながりがない。だからどこの銀行も信用しません。

　だったら第三者のところに行って、お金を借りてきて回してみて、それで成功したら銀行に行ってください。そう

すれば貸してくれます。

　過去でうまくいってない人間は、未来でもうまくいかないんですよ。世の中ナメんなって。

　だが、過去に失敗してるからって、未来でもうまくいかないとも言いきれない。

　ただ、それにちゃんと気づいたうえで、自分が過去のことをしっかり見据えて、欠点を穴埋めするだけの努力してるのかってことです。

　自分のことを知らないで何言ってんの？

　「たら・れば」でモノ言うなって。仮説を立てて言うのはいいけど、根拠のない仮説は言うなって話です。

　そういうことを銀行員が言ってあげないから、ダメなものをダメと気づけないんです。

　銀行員もそういうことがわかってないから言えないんですよ。

　私は言ってましたけどね。

会社の実態を理解せずにどう DX するの？

> **しのざき総研** @ginkouyushipro　2021 年 12 月 25 日
>
> 中小企業も DX を叫ばれているが、ICT すら導入できていない。経理をみれば一目瞭然。エクセルすら使いこなせていないし、会計ソフトもまともに使えていない。業者は DX を勧めるが、甘い言葉で足元をすくわれないようにしないと。社員の状況を確認しながら、どうしていくのかを決める。

　令和 5 年の時点では、中小企業に DX（Digital Transformation）は必要ありません。

　そもそも ICT（Information and Communications Technology）化さえまともになされていない。

　そんなものを導入する前に、アナログで整理しなければならないことがたくさんあるはずなんですよ。

　自分の会社のことも理解できていない、DX 以前に ICT

もできてないのに、なんでやる必要があるの？

　やっちゃいけないことをやらせようとしてるんですよ。戦争やったことない人間に、いきなり「イージス艦を操縦しろ！」って言ってるようなものです。

　戦略もなくできるはずがない。

　これはコンサルティング会社が儲かるからやらせようとしてるだけ。コンサルティング会社のエサにされてるだけですよ。

　だから私は、DX なんてまったく反対ですね。

　自分たちの会社の見える化は、エクセルで十分です。

　例えば、セールスフォースを活用しながら、自分たちでカスタマイズして、戦略性の高いレベルにまでもっていけるんだったらいいんだけど。

　そこにいくまでに、まずは自分たちでエクセルで管理しろって話ですよ。

　管理する頭がないと、逆に AI や DX っていわれてるものに管理されるようになっちゃうから。

　管理するのはあくまでも人間なんです。

税金と社会保険料を滞納していると…

> **しのざき総研** @ginkouyushipro　2022年3月19日
>
> 資金繰りが大変になった場合、税金や社会保険料の公租公課は考えながら遅延させるほうがベター。何にも考えないで公租公課を延滞させるのはバッド。ケースによっては日繰り表を作成して事業継続していくための資金繰りを考える。公租公課は督促状が届いてから無視をすると融通が利かなくなる。

　税金も社会保険料も原則延滞はダメです。融資申し込み時に納税証明書を添付するケースにおいては、滞納していると銀行はお金を貸しませんから。

　逆に、延滞して預金の差し押さえが入ったら、基本的には融資金の一括返済請求をかけていいことになっているんです。

　でもみんなそれを知らない。

延滞したらお金は借りられない。延滞税もくる。そこで資金繰り表作りながら差し押さえにならないギリギリのところで、いかにして回すかってことを頭に入れてやってるのかって。

　事業に失敗をして破産手続きをすると、賃貸物件すら借りられなくなることもある。
　住所が不定になると無職になる。
　事業を失敗しても、社長さんは破産手続きをして免責決定がおりれば経営責任はなくなる。
　ただ、新たな住まいが決まらなければ就職活動もまともにできなくなることを知らない人が多い。

破産しても税金は追いかけてくる

しのざき総研 @ginkouyushipro　2022 年 2 月 11 日

自己破産をするときに個人の市県民税は免除されない。法人は法人税や消費税等は免除になるが、個人は自己破産をしても生存している限り納税の義務がある。自己破産をして住所変更をしても行政から追われる。弁護士の先生もこのことを破産する前に伝えてくれないケースが多い。

　破産するときに翌年の税金のことを考えているか？

　住所変更をしても追っかけられますからね。前年分の税金で。

　だから２回破綻することになるわけですよ。破産したあとに就職しようと思ったら、破産する前に次に住む新しいところを借りて、本人でなく、例えば定職のある身内に借りてもらっておく。

どうやって破産して逃げればいいのか、知らない人が多いんですよ。そのあたりのことを弁護士も教えないから。

　だから結局、会社を潰すときには、再生することを前提にいくつかのシミュレーションをしたうえで倒産を考えておくんですよ。
　翌年の税金のこと考えて破産してんのかって。会社を潰すんだったら、１年半くらいかけて翌年の税金のことも考えておく。
　役員報酬もなくしておいて、さらに会社からお金を借りておいて、貸付金を増やした状態でぶっ潰すしかない。

　ちなみに、資金繰りが窮して破産が頭をよぎったときに、離婚を考える人がいる。
　その理由は「連帯保証債務が…」とわけのわからないことを言っている人がほとんど。
　破産をしても、妻が連帯保証人になっていなければ返済義務はないのに、誤認をしている人が多い。

コンサルタントは実績と性格で選べ

しのざき総研 @ginkouyushipro　2022年3月28日

コンサルタントは何が決め手なのか。もちろん知識量は大切。ただ一番大切なのはその人の生き様かな。実績を聞いてもいくらでも飾ることはできる。会話の中で人生で一番追い込まれたときのことを聞いてみれば、なんとなくその人物のことがわかるかもしれない。

　経営コンサルタントでいえば、実績を上げてるコンサルタントに依頼するのがいい。

　そのコンサルタントが売上を上げてるってこと。それがエビデンスになりますから。

　「決算書見せろ」くらい言っていいと思いますよ。口では何とでも言えますからね。私は自信あるから決算書見せますよって言います。

一番手っ取り早いのはどれだけ売上を上げてるかってことです。自分で売上を上げてないヤツがお客さんのところでコンサルできるんですかって。できるわけないじゃないですか。

　そしてコンサルタントは性格。一番は実績、売上。二番目は性格。嘘をつかないってことですよ。できないことはできないってはっきり言う。

　あとは社長から見て、自分と合うか合わないか。合わないと思ってる相手とやったってうまくいくわけない。相性ってのはやはりかなり影響します。そういうケースはすごく多いんですよ。

　財務系のコンサルでも有象無象が多い。財務、財務って言うけど、明確な定義ってないんです。私は財務＝経営だから。総合でできないと財務じゃないって言ってる。多くの人は資金調達が財務だと勘違いしてるんですよ。

　資金調達って戦術なんです。戦略構築するのが私の役割だから。

　戦略構築ってのは、根拠ある経営計画です。資金調達はその延長にあるものです。

　総論各論、戦略戦術といっても、みんなわかんないんですよ。そんなのばっかりですよ。一億総コンサルタントですよ。

中小企業にコンサルタントは必要か？

しのざき総研 @ginkouyushipro 2022年4月1日

コンサルタントを使うか使わないか。そこに明確な判断基準があるようで、じつはない。自分たちが何を求めているかによって違ってくる。本来は使わないほうがいいに決まっている。ならばなぜ使うのか。それはその企業の、ある状態に問題があるからだ。

　例えば売上や利益など、内容がよくても多重債務になっているケース。借入が多ければ、コンサルタントを入れて、それらを一本化しなければならない。それは資金繰り表を作っていないことに原因がある。管理会計の見地で、部門別に設定してないから。

　そして自分の会社のことを知らないことも原因の一つ。財務に強い人間に相談して、そこから判断すればいいだ

けのこと。それを気づかせるのがコンサルタントなのだ。

　売上を上げるために何をするのか、ではない。売上が勝手に上がるようにする。

　いろいろなことに気づけば売上は上がる。例えば飲食店。汚い店、整理整頓ができていない店、「いらっしゃいませ」「少々お待ちください」「ありがとうございました」などの基本的なことすら言えない店にお客さんは来ない。

　お客さんが悪いわけではない。そこに気づけるかどうか。気づけないから売上が上がらないのだ。

　コンサルタントを頼むなら、「うちの社員がダメだからあなたに頼むんだ」なんてことは絶対に言ってはいけない。

　自分の会社の従業員をバカにする社長にまともな人間なんていない。自分ができない部分を従業員にやってもらっているという感覚を持ち合わせていない社長はダメだ。

　私はそういう社長とは顧問契約はしない。足元が見えてしまっているからだ。

　会社というものは、そこの社長の器よりも大きいものにはならない。

　逆に、従業員が見切りをつけて辞めていく。

　つまり社長は、従業員のことをあれこれと言う前に、自身が従業員から見切られていることを知るべきだ。

会社を殺すにはデマひとつでいい

> **しのざき総研** @ginkouyushipro　2022年4月9日
>
> 会社の金は俺のカネ！　俺の金は俺の金！
> 残念だが多くの社長さんはそのようにとらえている。会社が受けた融資金を社長個人が自分のために使ったりする。社長さんは公私混同をするが、経営者はそんなことはしない。　「会社の金は会社の金！」　「俺の金は会社の金！」　と考える。

　社長というのはカネの使い方が汚いんですよね。

　風評被害が起きたら、銀行はまずカネを貸しません。

　会社を殺すのなんて簡単で、ネット上でデマを流せばいいんです。

　だから私は、ツイッターでは吠えていません。2回くらい炎上しそうになったので、それ以降は大人しくしています。

ギリギリの、噛みつかれない程度のところでツイートするようにしています。

　それも修験者と同じ。文章を組み立てて、怒らせないギリギリのところで止めるのもまたセンスですよ。

　捏造なんてよくあることですよ。

　芸能人もよく沈められるでしょう。

　あんな感じですよ。

　ツイッターなんてお金もかからないし、ちょっと影響力のある人が書き込めばそれで決まりですからね。

　例えば、「六本木あたりで女を連れて遊びまわってる、とんでもねえコンサルタントだ」なんて書き込まれたら、それで終わりですから。

　そんなこと、私はしませんけどね。

勝つための戦略を立てる。戦術はその道具だ

しのざき総研 @ginkouyushipro　2022年7月20日

最近、資金繰りの相談が増えてきた。コロナ禍の2年5か月間で答えは出ている。賢者は歴史に学び愚者は経験で学ぶ。来春以降から本格的な中小企業の生き残りをかけての戦闘開始。武器は⁉ 兵隊の数は⁉ 作戦会議はどの程度までしたの⁉ 経営は戦略で決まる。考えて行動をしよう。

「戦略なくして戦術なし」ですよ。

その会社の進むべき方向性の戦略なくしてどうやって戦うんだ？

武器はどうやって調達するんだ？

例えば、接近戦の場合はドスが一番効く。中距離なら手榴弾くらいがちょうどいい。長距離なら大砲使ったり、空中戦で空から攻撃すればこちらは傷つかない。

それを何でもいいからって、接近戦で大砲使ったら自分たちも死ぬだろ。考えて組み立てていくというのはわかるでしょ。

　戦略というのは、勝つためにどうすればいいかってこと。戦術は、勝つための道具。

　戦略なくして戦術はないんだから、その戦略を銀行員が知らないって考えられない。それは簿記会計でどうやってきたかわからないから、道具も何もわからないんです。

　相手の決算書は、赤本ですよ。赤本の傾向と対策を見て、何でお金を貸すときに間違った方向に行くのか。健康な体の人に薬飲ませるのか。医者と一緒じゃねえか。必要ないのに薬飲ませるんだから、保証協会ですよ。

　中小企業の社長は、商売やってんだったら真剣に考えて計画作れよ、です。

　それができないんだったら会計事務所がその支援してやれよ。

　銀行員は提示された経営計画を絵に描いた餅として見るんじゃなくて、自分たちの能力の低さを実感して、より考えて前向きにとらえるようにしてやれよ。

　そうしたことを代行してやっていくのが銀行融資診断士です。

■銀行融資診断士® とは

　中小企業の発展に銀行の存在は欠かせません。しかし、現代の中小企業は「銀行に言われるがままの融資取引」に応じてしまっているのが実態です。それには中小企業の、以下のような事情があるからと考えられます。

　○経理体制がとれていない

　○試算表は数か月前のしかない、そもそも作成していない

　○資金調達のために帳尻合わせをした資金繰り表を作成

　○経営計画を作成していない

　○銀行員に融資を必要とする理由（必要時期・融資金額・資金使途・返済財源・融資期間）を社長がうまく伝えることができていない

　この「言われるがままの融資取引」は、中小企業と銀行員の間で起こる情報の齟齬が要因だと考えられます。中小企業は自社の事業を銀行にうまく伝えられない、一方の銀行員は社長から「何を」「どのように」情報収集して本部に提出すべきかを理解できていないのです。

　中小企業と銀行の情報共有の橋渡しを行い、「言われるがままの融資取引」の状態から、「円滑な銀行取引を実現する」のが銀行融資診断士® です。

　　　　　　一般社団法人銀行融資診断士協会

　　　　　https://ginkouyushishindan.com/

第2章

銀行とはこう付き合え！

銀行員は事業性評価ができない

しのざき総研 @ginkouyushipro　2021年2月28日

今、銀行員の間で流行っている通信教育は簿記と資金繰り表に関する講座らしい。銀行員の会計リテラシーは低いからいいかもしれない。私は大学生のときに会計学研究会に所属していたし、ダブルスクールで公認会計士の勉強をしていて、管理会計の基礎を身に付けていたので銀行員になってからは楽でした。

　銀行員は簿記を知らないから、融資の組み立てができるようで、できない人が多い。

　銀行融資というのは、「財務会計」すなわち会計原則に則った仕訳がなされているのかをまず見る。また、決算書のBSとPLの数字から財務分析をして、融資先の商流、つまり、融資先の過去会計の流れから実態把握をする。

　さらに「管理会計」、すなわち経営計画や資金繰り予定

表を見る。つまり、未来会計の流れから融資先の将来予測をして、新規融資をしても問題なく回収できるかどうかの判断をしていく。

　財務会計（過去）×管理会計（未来）＝あるべき姿の融資管理（事業性評価融資）となるのだ。

　しかしながら銀行員は、会計の原理原則がわかってないから、決算書を見て、儲かっているかそうでないかくらいの判断しかできない。彼らの頭にあるのは、融資の際の保証協会の枠がどれくらい残っているかとかだ。

　「社長」から「経営者」になるためにも、銀行が何を考えているのかもふまえて、簿記・会計を学ばなくてはいけません。

　社長が簿記・会計を知らずに経営するのは無免許運転と同じです。

　業界ごとに考え方や慣例がある。それをきちんと銀行に説明できないといけない。

　社長が自分たちの数字を体系立てて業界事情に合わせて業務の流れをしゃべれないとダメなんですよ。

　社長が簿記・会計を知らずに商売やってること自体、無謀な無免許運転です。

クレジットカードを作らせる意味とは

しのざき総研 @ginkouyushipro　2021年3月5日

銀行員は社長とすべて真逆の考えであることを知る。銀行側は、預金金利は安く、融資金利は高く、融資の基本は信用保証協会付融資、必要ない株式投資信託や生命保険の押し売りをする。また、社長は節税が大好きだが、銀行員は納税する会社が大好き。このように真逆の考えは、男女の利害関係とまったく同じだと思う。

　銀行は、融資の金利を高くとりたい、預金の金利は低くしたい。

　社長は、クレジットカードにしても、生命保険にしても、投資信託にしても、できれば銀行から入りたくない。

　つまり管理されるのが嫌なんですよ。資産を凍結されるのと同じでしょう。

銀行からすると、クレジットカードは定期的に作らせたほうがいいんですよ。カードがブラックリストに載っていないかチェックできるからです。

　私は２年に１回、わざと解約させて作らせるってことをやっていました。
　群馬銀行の関連会社がVISAとJCBをやっていて審査をするわけです。クレジットカードの審査に落ちたところには絶対融資はしません。
　クレジットカードは自行の関連会社しか調べられませんが、マイカーローンは直に調べられる。

　メイン化といって、例えば、給料振込やってます。一般振込もやってます。売掛金の回収は全部自分の銀行でやります。
　そのうえで融資もメインで使ってもらえれば、銀行は儲かるんですよ。
　集中させるから「メイン化」っていうんです。

通帳の流れを見て「予兆管理」をする

> **しのざき総研** @ginkouyushipro　2021年11月7日
>
> 今の銀行員は予兆管理を知らない。「満潮？ 干潮？」のレベルですよ。だから銀行員時代の私は貸し倒れがない。私が銀行にいる間、潰れたところはない。「目利きの涵養」といって、現場に行って、食べる、見る、触るで、なんとなくわかる。辞めたとたんに潰れ始めました。

　法人のメイン化をさせたら、個人のメイン化をやる。

　例えば預金は定期預金で最低300万円以上、住宅ローンなど個人のローンを使わせなさい、クレジットカードを持たせなさい、そして給料振込の口座を指定させなさい、と。

　そうすれば、いざというときに預金の差し押さえができます。その会社が危なくなるんじゃないかという兆しを見る予兆管理ができる。

それは通帳の流れを見ていればわかる。

個人で1日に10万円、法人で1日に100万円の動きがあると、全部データを取ってチェックします。

個人から1,000万円の入金があったら何を疑いますか？

街金やサラ金から借金してるってことですよ。アイフルとかレイクとか名前出せないから。

決算書の取引先一覧を見ればわかります。個人名で振り込んでくるんですよ、そういうところは。「鈴木」とか。それを売上として計上するんですよ。会社に個人で振り込んでくるわけだから。

そういうのを見つけたら、私は社長に電話して聞くんですよ。

正直に言えば支店長には言わないでやるから言えって。支店長に「あそこは〇〇から金借りてますよ」って言ったら、お前のところは潰れるぞって。そしたら白状したんですよ。「すぐに返せ」って言ってやりました。

そこの社長が「支店長に言うんだろ？」って言うから、「言わねえよ、約束は守るから」って。運転資金借りられるようにして、事業継続できるようにしてやるんですよ。

銀行員的にはNGだけど、資金繰りが楽になり、回復したケースがほとんどだった。

　鬼平犯科帳ですよ。「罪を憎んで人を憎まず」です。それで銀行員やってたんですから。

　これが予兆管理ってやつです。

　個人の場合は何で見るかというと、それも金の出し入れです。

　社長個人のクレジットカードを作らせる意味は、愛人ができたり、金遣いが荒くなってきたりすると、クレジットカードの引き落としが急に多くなるんです。

　クレジットカード会社から「最近の仕事ぶりはどうですか？」って問い合わせが入ったときはアウトですよ。

　限度額100万、200万のカードを限度額まで使ってたらそうですよ。

　クレジットカードのショッピング枠を使って買い物させ、それをどこかの買い取り店で引き取ってもらい、現金を持ってこさせる。

　あとは金の出し入れが激しい。だから通帳って嘘つかないんですよ。

　仮説を立ててみればわかるんですよ。通帳見てれば、社長のクセとか生活とかわかります。

　この会社、なんか様子がおかしいと思うことがある。それがわかったうえで「ホントはお宅の会社、資金繰りはこ

うなってんじゃないの？」って言ってあげたうえで、正直に全部話させて実態を聞く。

そのうえで再構築をしていって、その会社を潰さないようにするのが銀行員の本来の役目ではないでしょうか。

私はケースバイケースでそれをやっていた。

私は「お金を貸せる銀行員」を目指してたんです。

つまり、リスクを取るってことですよ。

「お金を貸さない銀行員」は誰でもできる。

目利きができて予兆管理ができる銀行員は、あるべき姿の銀行員。売上と利益が下がっているときにトータル保全を考えたうえで追加融資を出して、潰さないようにうまく回収していく。

だから、必要なら資産の売却もさせる。個人資産も全部聞く。

全部正直に言うんだったら助けてやるよって。言わないんだったら知らねえよってこと。

そこは社長が本気になるかどうかって部分。自分の個人資産も会社にブチ込む覚悟があるのかって。

銀行員は「お金」の教育を受けていない

しのざき総研 @ginkouyushipro 2021 年 10 月 27 日

銀行員は融資先の事業概要を知っているようで知らない。じつは、ここがポイント。会社から銀行員にも理解できるように、事業内容、組織体制、業務フローについて書類にして説明をすることで、融資担当者との距離が縮まる可能性が高くなる。相手が知らないのであれば知ってもらえばいい。

　銀行員の耳はパッドがついている状態だから聞こえない。最初からふさがった状態で会話しているから、事業概要の説明は聞こえていない。まず融資の基本は信用保証協会の保証残高しか気にしていない。

　銀行員には初期研修で「お金とはどういうものか」、お金についての良い面、悪い面の情操教育をしなきゃいけない。食育と同じ。

お金のいい使い方、悪い使い方。いい使い方のために自分たちはいる、お金は誰のためにあるのか、とか。

　銀行が間に入って社会的公共性の高いことをしようと。そういうことを銀行では教えていても、浸透していないんです。

　例えば、昔から「良家」と言われるところには、料理人がいて、メイドがいて、教育してくれる人がいて、執事がいた。そういう人たちは食べ方がきれいだし、無駄遣いはしない。生き方が凛としていて美しい。

　銀行員もそういう教育を受けなきゃいけないんです。お金を扱うから。汚いものを扱うから、きれいじゃなきゃいけない。金まみれになるんだから。

　銀行員の教育をするときは、次に通帳の見方を教える。左と右に分かれてるから、資金繰りの管理と仕訳がわかるようになる。

　つまり簿記・会計になるじゃないですか。

　今は通帳を預かるなんてことはしないけど、私は銀行員になったときに「通帳を見ろ」と言われてたから、それを愚直にやってきたんです。

　私は銀行員時代、出納係でお金を数える仕事をしていました。

「これが銀行の仕事か?!」と思いましたね。血と汗と涙と怨念で手が真っ黒になって。

お金だなんて思わない。マグロと同じですよ。ドーンと目の前に置かれてね。

それは日本中を回ってきたお金です。

もしかしたらワケアリのお金かもしれない。新券ばかり扱ってるわけじゃないから。

新券に対して、そうでないものを並券って言うんですけど、それを数えてるときに、人の血と汗と涙と怨念で手が汚れるんです。そこに空気が入ってふくれあがってるんですよ。死体を見てるのと同じですね。

お金を集めてそれを貸して、企業の発展に寄与するという前提があるんだということを教えなければいけない。

そのお金の流れがわかるためには簿記・会計がわからなきゃだめ。

そのうえで商流に金の流れを合わせていったのが経営なんですよ。

これが渋沢栄一の教え。

これに基づいて学ぶのが「銀行融資診断士」という資格です。

「聞く力」はトレーニングで身につけろ

しのざき総研 @ginkouyushipro　2021 年 10 月 27 日

銀行員は傾聴のスキルが足りない。銀行はサービス業ではなく貸金業だから。融資先に自分達が知りたい情報だけを確認しているから広角に物事をとらえられなくなる。金貸は鋭角では駄目。仮説を立てて広角で質問すると深掘りができるようになる。傾聴のスキルがないと、返済金の延滞をしても真の要因を知らないままでいる。

　新入社員にはもともとヒアリング能力はありません。

　そもそも企業に入ったときに、その人にヒアリング能力なんてないでしょう。大学や専門学校で勉強してないんだもん。

　経営学を学んで将来は大企業のマネジメントやりたいとか、社長になりたいとか考えてるんだったら、最初から専門性の高い仕事やらせてふるいにかけられますけど。

　ヒアリング能力の前提は知識。知識がなかったら「聞けない」んですよ。

　非言語的要素、ノンバーバル・コミュニケーションっていって、声の抑揚や手振り身振り、間とかポジショニングとかレギュレーションのこと。

　人が商談をして、買うか買わないか決めるとき、バーバル、話の内容で判断してるのは7％で、非言語的要素で判断してるのは93％といわれてるんです。

　私は銀行員のときに、鼻と目を徹底的に鍛えてきました。でも耳は鍛えられない。そういう教育を受けてないから。人の話を聞くっていうトレーニングをしていないと聞けないんですよ。

　じゃあ何をすれば聞けるかっていうと、ボイス・レコーダーとかビデオを使う。それを自分で録るんですよ。

　自分でセルフ・ロールプレイングをやるんです。私は保険をやってるときにそれを実践したんです。そう教育されてたから。

　私はソルジャー・マシンなんです。間をとるための距離感保ちながら売っていくから。

　要するにボディー・ランゲージですよね。

ジャパネットたかたの高田明前社長は、ノンバーバル・コミュニケーションで売上を上げていました。

　意図的に２オクターブ高い、甲高い声を出しているんですよ。

　クーラーを売ろうと思ったら、暑いシーンをイメージさせる。「暑くなったときに何に困るか」という課題を明確にイメージさせるんです。

　銀行員は、ノンバーバル・コミュニケーションをやらなくていいんです。一方的にしゃべっていていい仕事だから。

　耳は、意識してトレーニングしないと駄目ですね。

　私も集中してないときはちゃんと聞けてない。だから「ごめん、聞いてなかった」ってもう１回聞くんですよ。

　でもほとんどの人は聞いてないっていう自覚がない。だから、もう１回聞くというチャンス・ロスをしてるんです。

　大切なのは、６Ｗ３Ｈです。

Who：誰が

Whom：誰に

What：何を

When：いつ

Where：どこで

How many：数量

How much：単価

How to：マーケティングの方法や人の採用方法、解決
　　　　のための手段と方法

Why：なぜ（それをする理由）

そういった形ですべて組み立てて質問してますか？

私ですらしてない。銀行員ができるはずがないんですよ。100%できない。

もちろん、これを天性の感覚でやっている人は銀行員の中にもいます。

そういう人材が辞めてしまうのは銀行にとって大きな逸失利益になるんですが、銀行の上層部は気づけない。「辞めたい」って言ったヤツにこそ、逆に仕事を作ってやって、ポジションつけてやったほうが銀行にとってもいいんですけどね。

ちゃんと聞けるヤツってのは、銀行以外の企業に行ってしまうんです。

銀行に自己開示できる体制を作れ

> **しのざき総研** @ginkouyushipro　2021 年 12 月 24 日
>
> 銀行員は粉飾を見抜けないのですか !? AI に頼らないと目利きが発揮できなくなってしまったのでしょうか。中間層の退職者が多くて、現場のヒアリングができないのですか !? いずれにしても情けない話です。現場で社長さんと面談していれば粉飾決算は必ずわかるはず。頑張れ、銀行員！

これもすべて簿記・会計。

融資の審査をするのは商流を見ること（つまり経営状況の判断）。この会社が赤字だったら、なぜ赤字なのか、改善策を聞かなきゃ書類も書けません。

社長としっかり面談していれば、わかることなんですよ。

決算書は大学受験でいうところの赤本です。

　傾向と対策っていうのは、過去の決算書に出てるんですよ。

　それを読み解けないってことは、その1年後、2年後、放置していれば、よほどの外部環境のいい意味でも悪い意味でも変化がないかぎり、同じようにしか答えは出ません。

　銀行は経済活動を回していく社会インフラです。

　中小企業にとってみたら、「金を貸してもらうところ」だけど、有効な借り方を知らない。

　銀行のほうも、企業の見方を知らない。

　銀行とは敵対しない。

　情報はすべて開示する。

　開示した中で逆に銀行に、銀行員の能力って下がりつつあるから、社長が財務会計リテラシーを上げて、銀行に対して自己開示ができる体制を作る。「経営者」にはそれができます。

保険は儲かるから銀行も手を出す

しのざき総研 @ginkouyushipro　2021 年 2 月 28 日

アホな銀行員は保険人が生保の提案をしている情報を耳にすると、自分達にも提案させてくれと邪魔をしてくるし、案件を横取りするのは日常茶飯事。あとは手数料だけ按分させてくれと言ってくるアホな金融機関もあるくらいだ。自分達の生き残りをかけて彼らも儲かる商品に特化しているようだ。残念だよ。

　銀行も会計事務所も、保険商品を売っていますからね。なぜかって、それは儲かるから。

　投資信託だと数パーセントの手数料ですけど、保険商品なら 3 〜 4 割ですからね。ラクなんですよ。

　お客さんは保険人さんから入ろうと思っていたのに、横から銀行に「同じ商品ありますよ」なんて言われたら、融

資に影響あるんじゃないかって思ってしまって、そちらから入ってしまうんです。実際、融資に影響なんてないのに、銀行に言われたらそっちで契約してしまう。影響が出るかもしれないって勝手に思うんですよ。

　あとは、銀行から自行の株の購入を勧められても、購入しないほうがいい。株主増強運動と銘打って、融資先から株を買わせても融資は別腹ときたもんだ。

　弱っている銀行ほど勧めてくるから要注意です。

　私のいた銀行でも優良株主増強ってやっていましたけど、私はこういうことが嫌いだったし、自行の株を買わせることはポリシーに反するからやらなかった。

　要は「お客に逃げられないように」っていう意味もあるから。株を持っていれば、他の銀行から融資は受けないだろうって思うでしょ、なんとなく。安定株主として、いてもらったほうがいいってことです。

　銀行株の保有は融資にまったく関係ないんですよ。

銀行取引は絶対に複数行にすべし

しのざき総研 @ginkouyushipro　2022年2月20日

銀行神話は地方都市に行けば行くほどに存在する。今どき1行取引なんて愚の骨頂なんだが、メインバンクから他行との融資取引を禁止されている話を聞いた。会社が拡大路線のときは、1行取引だと会社の成長に銀行が追いついてこれなくなるし、経営に口を挟んでくるようになるから面倒になる。

　他の銀行と付き合うなって、地方に行けば行くほどその傾向がありますね。

　銀行の担当者に言われたら、こう言えばいい。

　「1つより2つ、2つより3つ。卵と同じ。10個同じところに預けていて、仮に6個潰れてしまったらたまんないでしょう。10個の卵を3個、3個、3個、1個の4つの箱に分散しておけば、仮にある箱を1つ落としたとしても3個か1個しか潰れないので、7個か9個は潰れなくてすむ」

　銀行取引も同じ。年商規模に応じて民間金融機関と政府系金融機関の複数行を入れて融資取引をすると、リスク分散ができるようになる。

　この考えを、私は「銀行の選択」と呼んでいる。

　銀行の選択とは、銀行の特質を押さえた考え方をするということ。

　そもそもどの銀行も業績の良い先には貸せるだけ貸したいと思うもの。銀行からよくされて知らないうちに1行取引になることもあれば、ピンチのときに助けてくれた恩を何十年も感じて1行取引をしている会社もある。

　もちろん助けてもらった恩は忘れないほうがいい。しかしながら、銀行が未来永劫御社を守ってくれる保証は1%もないのだ。

　だからこそ、そうならないためにも年商規模に応じた銀行の選択をしていくと、プロパー融資も借りられるようになる可能性が高くなる。

　もちろん、企業規模が年商3億円以下だったり、赤字の場合は論外ですが、そうでないのであれば、日本政策金融公庫や商工中金などの政府系金融機関も入れながら融資取引をしていくと、プロパー融資も利用しやすくなることを忘れてはならない。

銀行取引約定書を知らずに銀行融資を語るな

> **しのざき総研** @ginkouyushipro　2022年1月3日
>
> 融資を受けているなら銀行取引約定書を読み返そう。銀行のことを悪く言う前に、融資の基本契約書といわれている銀行取引約定書を知らずして銀行融資を語ることは笑止。「期限の利益」の喪失事由と請求喪失事由は覚えておいたほうがいい。また、連帯保証人は「保証約定書」を読み返そう。

　連帯保証人は「人質」、借りている銀行に定期預金することを「物質（ものじち）」っていうんですよ。みなし担保ともいいますね。

　銀行は定期預金を解約させないことができる。融資先の会社が危ないって判断したら、法的手続きをとることができます。

　期限の利益の請求喪失事由っていうものがあるんです

よ。期限の利益、つまり借入は5年なら5年、銀行が期限を与えているわけです。その期限を切ってしまって一括請求をかけるときに、当然喪失事由と請求喪失事由というのがある。

当然喪失事由というのは、破産や和議、民事再生法や会社更生法。あとは6か月以内に2回の不渡り。

会社の連帯保証人つまり社長が夜逃げして連絡がとれないなんてことになったら、無条件で差し押さえして請求かけていいんです。

それから請求喪失事由というのは、返済の延滞が数か月続いた場合に、まとめて返してくれって言えるんです。

それ以外にも、入れてる担保を銀行に黙って勝手に処分した場合も、一括して返してくれって言っていいんです。これも請求喪失事由っていうんですよ。

融資先の会社が財務上、返済できないんじゃないかと銀行が判断した時点で、返済請求をしてもいい。

勝手に預金と相殺していいことになっているんです。だから連帯保証人に逃げられたら、銀行の判断で定期預金を相殺してもいいんです。

銀行融資は難しくない

> **しのざき総研** @ginkouyushipro　2022 年 5 月 29 日
>
> 銀行融資は財務会計と管理会計から組成されていると思う。銀行員は会計には疎いが、本業だから融資業務をする。税理士は財務会計に強く、公認会計士は管理会計に強いはずだが、両者とも銀行融資に強いようには感じない。銀行融資は粉飾の有無と財務内容、会社と代表者の資産背景で決まると言ってもいい。

　銀行融資は財務会計と管理会計で組成されている。

　実態を把握する財務会計、これは時間軸でいうと過去。目標設定は時間軸では未来。管理会計は、未来を見て目標設定する。

　過去の実態を把握して未来に向けての課題ギャップを埋める手伝いをするのがコンサルティング。これがすなわち銀行融資なんですよ。でもみんなそれがわかっていない。

　できるコンサルタントは、このあたりをきちんと組み立てていく。財務会計と管理会計がわかっているから。

　例えば3,000万円が必要だとなったときに、それには必ず理由がある。

　過去の財務会計から振り返りをして、その会社の悪い癖、いい癖すべてわかったうえで、どういう経営をして、ギャップを埋めるか。そして資金繰り表を作ってお金の流れを把握して、銀行融資の提案をする。

　すべて数字で理由を説明できないとダメなんですね。

　銀行融資は難しいって言われています。しかし、それは銀行が考え方を言わないから難しいだけなんです。

　物事にはすべて理由がある。数字には根拠がある。根拠について深掘りしていないからわからないんです。

　お金が借りられるかどうかっていうのは、答えは二つに一つで、数字の中身がよかったら借りられるし、悪かったら借りられないんです。

　悪かったら悪かったなりに、何で悪いのか、どうしたいのか、を明らかにしなきゃいけない。

　しかし、別にそこに融資のポイントはないんです。ポイントは返せるかどうか。社長個人でどこまで資産背景があるか。これ、みんな隠したがるでしょ。

個人の資産については、あるならあるって言ったほうがいい。なんかみんな、銀行に対して少しビビり過ぎなんじゃないですかね。

担当者が権限違反を犯して「融資できます」と断言したにもかかわらず、融資が出なかった場合はどうすればよいのか？

まずは担当者の上長に連絡をすること。そこで今回の融資の経緯について、そのやり取りを時系列で伝えること。そのときは冷静に！

支店長が一度判断をした結果が覆ることはめったにないが、その場合も次回以降の融資について、なぜダメだったのか、その理由を聞く。そこから次回につながる攻略法が見えてくることがある。

銀行側に、会社が属する業界の特殊な事情が伝わっていない可能性もある。

銀行員は決して万能ではない。ノルマと業務に追われ、経営や各業界の事情を勉強する時間がないととらえよう。

経営者自身が、自社のことや業界のことをわかりやすく、定期的に報告することだ。

それだけでも銀行員の融資先に対する理解は深まり、次回以降の融資申込時には見方が変わっていることもあるのです。

■経営計画には振り返りシートを付ける

どんな銀行に対してもやっておくべきことは、経営計画の策定です。

その際、決算書の振り返りシートを作成して（A4用紙で1枚程度でよいでしょう）、添付しておきましょう。

振り返りシートには以下を箇条書きにしておきます。

①売上

予測を立てていた、立てていなかった、いずれの場合でも予測数値に到達できたのか否か、その理由など。

②売上総利益（粗利）

生産計画を立てていたのか否か、ムダな在庫を出したのか否か、うまく商売できたのか、など。

③営業利益

営業利益について書く場合は経費にも触れる。人件費やムダな接待交際費を減らしたことで売上は下がったが対前年比で営業利益は上がった、など。

そのうえで経営計画を出すのです。業績が抜群でなくとも、振り返りから入ることを徹底しましょう。

コロナ融資のお金は運転資金に！

> **しのざき総研** @ginkouyushipro　2021 年 2 月 28 日
>
> 一部の金融機関は生命保険の販売に躍起になっている。それは儲かるから。ひどい金融機関になると、コロナ融資を融資先にマネー ・ ロンダリングさせて収益の高い生命保険の販売をしているようだ。金融庁はソロソロ内偵調査をしないと。モラルなんて感じません。考えられないと思うのは私だけなのだろうか？

　例えば A という銀行があって、その銀行の名義でコロナ融資を借りたとします。

　だけど、それが「備蓄資金」になってしまう。備蓄資金ってないんですよ。

　資金には、運転資金と設備資金があります。

　運転資金っていうのは、赤字を補塡するか、または売上

が上がっているときに、さらに売上を上げるために、先に
お金を払うのに必要だから追加で融資を受けるものです。
備蓄資金なんてないんです。

　でも出しちゃったんですよ、コロナ融資で。先がどうな
るかわかんないから。

　借りたのに使わない社長がいましてね。そのときにB
銀行の担当者が来て、決算書を見て「あれ？ 社長、だい
ぶお金がありますね。うちで証券会社を紹介するから、こ
れ運用しない？」なんて。

　そうなるとつまり、B銀行がA銀行のお金を使ってい
るってことになる。同じ保証協会なんでアウトってこと。
そういうこと、平気でやっているから。

　間違いなく、これ、資金使途違反です。

　コロナ資金を使って、売上と利益が上がってるってこと
が立証できればいい。

　だったらOKです。

　だけど、備蓄資金で持っていたってわかんない。支払い
で使ったっていうのが証明できればかまわないですよ。

　借りたお金を預金するのはNGです。

　歩積み両建て、つまり借りたお金をそのまま定期預金に

するのはダメ。

　例えば 5,000 万円を借りて、そのうち 1,000 万円を定期預金にしたら、4,000 万円で 5,000 万円分の支払いをするのと同じでしょ。

　ところが融資を出すときに「1,000 万円くらいは預金してください」っていう銀行は今でもあります。

　5,000 万円の融資を申し込んだのは、会社にそのお金がないからでしょ。

　その 5,000 万円を使い切るっていうことでしょ。

　そのあとで増えていって、それを定期預金にしてくれっていうんならいいですけどね。

会社の規模に応じてメインバンクを変える

> **しのざき総研** @ginkouyushipro　2022 年 2 月 2 日
>
> これからの時代は "銀行の選択" が肝になる。どこの金融機関から融資取引をするのかが大切。貸してくれる金融機関では NG。自分の会社をどこまで理解してくれるかがポイント。貸し渋りとは金融機関の一方的な誤解から始まるもの。だが、この誤解を解くには相当な労力が要る。

　銀行には、規模に応じて出せる金額と出せない金額があります。信用金庫が年商 50 億〜 100 億円のところに、1 回の融資で 3 億〜 5 億円の融資ができるか？　できるわけない。

　でも、アホな社長は、メインバンクに声をかけないで、他行にお金を貸してくれって言うんですよ。
　違うだろって。

売上が伸びていったときに、信用金庫から第二地銀、第一地銀からメガバンクを入れて、そして政府系を入れていって銀行のポジション、数を増やしていくと同時に、メインバンクの残高を徐々に移行していくんですよ。

　そうしないと自分たちの企業の成長に沿った、銀行の選択がそもそもできなくなる。

　未来のことを考えて銀行を増やしていく。最後は完済したら縁を切る。

　ケンカではなく、取引の自然消滅です。

　中小企業はメガバンクと付き合ったほうがいいのかと聞かれることがありますが、年商20億円未満の中小企業はメガバンクと付き合う必要はないでしょう。

　メガバンクと付き合うのは、首都圏の場合は売上20億円以上、地方の場合は売上10億円以上くらいが妥当です。

　業種によって違いはありますが、それくらいの売上規模がなければ、付き合うメリットはないでしょう。

　それでも付き合うというのであれば、1行くらいは入れてもよいでしょうが、メイン行にする必要はありません。

■銀行員に他銀行の「影」をちらつかせる！

銀行員、とくに得意先係（営業）の場合は、他の銀行の影に敏感です。他行の影を感じると「この企業にはもっと提案していかなければ」「もっと深く入り込んでいかなければ」という意識が働くのです。すると、積極的な融資提案や金利を低くしてくれるなど、期待できることもあるのです。

ではどうやって「他行の影」をちらつかせればよいのか。

①銀行員との会話で

「最近の銀行は大変なのですか？　弊社に営業に来る銀行が増えてきているのですが」

②企業の事務所や応接にて

他行の名前が書かれたカレンダーや箱ティッシュなどを、銀行員が訪問するタイミングで、名前が見えるように置いておきます。

③銀行員の来社約束時間

別の銀行員同士が鉢合わせするよう、訪問の約束時刻を近づけておきます。例えば13時からA銀行、13時30分からB銀行という具合に設定。B銀行が来社したときにA銀行が退席するようにしてお互いの存在を意識させます。

④銀行員との会話中に別の銀行から電話

接客中に電話がかかってきても出ないのがビジネスマナーですが、C銀行と話している最中にD銀行からかかってきた場合は、わざと出てD銀行からの電話だとC銀行にわかるようにします。D銀行の存在を意識させるのです。

第3章

資金繰り表が作れない
社長はアウト！

社長に資金繰り表づくりの知見がない

> **しのざき総研** @ginkouyushipro　2021年2月13日
>
> 中小企業の多くは資金繰り表を作っていません。もちろん現金商売をしている会社や年商規模が1億円以下の零細企業は作成しなくてもいいと思いますが、その場合は、通帳の流れを把握し、感覚でもいいのでお金の流れをつかまないと、資金ショートを起こしたときに取り返しのつかないことになります。

　作っていないというより、作れないんですよ。社長に管理会計の知見がないから。

　管理会計っていうのは、すなわち未来経営です。簡単な経営計画が作れないと、資金繰りも金の流れがわからずできない。管理会計の知見っていうのは、会計事務所には必要とされていないんです。税理士の試験には出てこないから。試験科目にないんですよ。

中小企業は潤沢にお金があるわけじゃないですよね。

私が銀行員時代に何をやったかっていうと、通帳の月初月末の残高を直近の1年間分グラフにしていた。

それだけでわかるものです。そこに売上高と営業利益をリンクさせて、借入残高を横軸と縦軸の棒グラフにしていけば、お金がなくなったタイミングで、どこで金を借りてるかって流れがわかるんです。通帳を見ていればできます。

だけどそれ、中小企業の経理はやらないでしょう。そういう教育を受けてないから。

資金繰りが大変だってことくらいは知っています。だけど、資金繰り表の作り方は、会計の原理原則を知ってないとできません。

発生主義と現金主義の違い。仕訳は発生主義、資金繰りは現金主義。すると発生主義における回収条件と支払条件を全部知らないと、適当には作れない。いつ締め、いつ支払い、回収がいつ締めで、請求書を発行したらいつ払ってくれるか。

私は20数年前から同じことをずっと言ってますけど、全然変わらない。会社が潰れる責任の51％は社長、会計事務所と銀行が24.5％ずつあるね。

経理担当者はなかなか育たない

しのざき総研 @ginkouyushipro　2021年10月26日

中小企業の経理担当者はなかなか育たない。これからの時代はますます経理担当者の重要性が高くなる。日々の入力、経営管理体制がとれる形の勘定科目の設定、会計事務所との役割分担、根拠ある損益計画の策定、試算表や資金繰り表の作成及び管理、銀行融資管理等が経理の役割。

　年商が3億円以下、もしくは粗利が1億円以下。年商が3億円超、もしくは粗利が1億円超になっても経理のオバチャンがいたりするけど、それは入力しているだけ。

　ほとんど行き着くところは簿記・会計です。そこをみんなわかってない。

　高校生で簿記、大学生になったら管理会計、財務会計を学ばせるのがいい。

高校生くらいになるとアルバイトやったりするでしょう。

　お金に興味を持つようになる。中学生くらいまでは親がお金管理するから。高校生になって自我が芽生え始めて、独立心が出てくる。

　生活科の授業でお金のことをやっているみたいだけど、あんなのは私に言わせれば何の役にも立たない。

　会計事務所に「タダで資金繰り表を作って」って言う社長もいます。

　会計事務所は３万円（月額顧問料）の人たちだから、顧問料たくさん取れないんです。

　お客さんから資金繰り表作ってくれって言われて、できないわけじゃない。でも、タダでやってくれって、その意味、お前らわかってんのって。タダでやるなって。

　会計事務所には営業力がまったくない。余計な争いごとを起こしたくない。だから儲かってる会社から何度も言われたら、顧問先を失いたくないから、いやいやでも引き受けざるを得ない。

　社長も資金繰り表は作らなきゃいけないことはわかってるけど、作り方がわからないから。

過去会計を振り返り、そこから経営計画を作る

しのざき総研 @ginkouyushipro　2022年8月25日

過去の振り返りをできない人は、逆転はできない。
自分のことを気付けるのは自分だけだから。第三者
はその人のことで気付いたことがあったとしても本
音は言ってくれないもの。また、過去の振り返りを
して自分の良いクセ、悪いクセを自認しない限り自
己成長はない。目覚めたときからが勝負だよ。

　日本人は暗記を主体とした勉強で18歳まで生きている。
だから社会人になって自分で考え行動できるようになる
と、考える人は圧倒的な差別化が図れるようになる。

　逆に言うと、これからの時代、考えて行動できる人はい
くらでも活躍できる面白い時代になってくるだろう。

　税理士試験のような暗記を主体とする難しい試験に合
格しても、中小企業の現場では全く使えない。銀行融資も
同じ。特に、銀行融資は型があるようでない。

銀行融資は財務会計と管理会計で組成されているが、そのことを知っている人はあまりいない。

　財務会計×管理会計＝事業性評価（実態把握）による銀行融資ということになる。

　財務会計は、その会社の過去の実態を把握すること。

　すなわち、銀行が融資の審査をするときに、会社の資産勘定科目のうち、売掛金や在庫、土地、投資有価証券、貸付金、仮払金などの勘定科目にストレスをかけて、そこでマイナスされた金額と同額を純資産額から控除する。

　俗にいう『銀行の格付』と同じイメージになる。

　管理会計は、未来の目標設定になる。経営計画書や資金繰り表の策定をして、毎月、損益と資金の振り返りをしていくことで目標達成できるようにする。

　この取り組みをする際に、PDCAでまわしていくと、数年で経営計画の精度も抜群に上がる。ただし、この当たり前のことを中小企業は実践できていない。それはなぜか？　簿記も会計も両方わかってないから。

　そもそも財務会計×管理会計＝事業性評価（実態把握）融資のことを言っている銀行員はいるようでいないのだ。

　自己成長ができる会社や人は、過去の振り返りに継続的に取り組んでいるからこそ、変化への対応ができるようになるのだ。

中小企業は大きくなれない？

> **しのざき総研** @ginkouyushipro　2021年12月11日
>
> 中小企業は何らかの原因で1回赤字を出すと、なかなかV字回復できないのが実状。社員の給料はなかなか上げられないし、アルバイトとか契約社員の採用で、固定費を減らして変動費の部分を大きくしたりする。そうしてフリーターとかが多くなる。バブル崩壊以後、そういう社会構造になってきている。

　給料が上がらなければ、消費も低迷する。親がかりで暮らして働かないニートも増えている。

　私の世代は「80-50」だ。親が80代で子どもが50代。そのうち「90-60」と言われるだろう。

　中小企業が大きくなれないのは、計画がないから。絵に描いた餅があるだけ。

　計画を作って、振り返りをやってるところは必ず成長す

るんです。

「勇気ある撤退」なんてよく言うけど、口で言うのは簡単。経営者はその場、その場の瞬間の判断で、前に行くのか後ろに行くのかって判断するわけでしょ。

判断できない会社は、多重債務になって散っていく。故障した戦闘機のパイロットと同じ。そのまま戦うべきか、基地に撤退するか。

負けること、わかっているわけじゃないんだけど、知らない間に負ける戦いに入っちゃってる。

私は、どう転んでも自分の商売が成長するよう仕組んである。

例えば、出版とか、保険人向けの勉強会っていうのは、ブランディングとマーケティングなんですよ。

「篠﨑ほど銀行のこと知ってるやつは絶対いない」って刷り込んでいく。

私は資本性劣後ローンとかハードルの高い融資、日本で一番やってるから。

DX の前に自計化が必須なのに

しのざき総研 @ginkouyushipro　2022 年 3 月 13 日
中小企業に DX を推進していく過程で、どうしても顧問会計事務所が邪魔をしていくケースが出てくる。経営管理ができないと DX は推進できない。ほとんどの会計事務所は経営管理に取り組んでいない。また、顧問先も DX を推進したくても早期自計化、経営計画の策定、資金繰り管理ができないと導入は不可能だ。

　そもそも中小企業に DX は必要ない。

　自計化といって、自分たちで会社の数字を見える化した ICT ができていない。

　しっかり足元を見すえて、社員と幹部で自分たちの会社の金の流れを可視化できない限り、DX を推進したところで意味がないんです。

企業規模には関係ないですね、これは。

　DXを推進する業者は、コンサル料や手数料が入るから
やらせたいに決まってるじゃないですか。

　でもまったく必要ないんですよ。

　ICT業者は横文字を並べてまくしたててくるけど、当の
本人がDXの意味すら知らないで営業をしている。

　滑稽ですらあります。

　毎月の試算表を早く見たいのならば、「自計化」するし
かないんですよ。自社でさまざまな数値を会計ソフトに入
力して作成する。

　会計データをオンタイムでリアルに見たいのであれば、
身近な人間（経理社員）が入力して、資料の切り方、組み
立て方、見せ方を含めて、社長が見たいと思ったときに見
せられるようにする。

　これが本来の姿です。

　DXの推進よりも、自計化のほうが中小企業には重要で
す。DXはそれができてからでも遅くはないんです。

粉飾決算は違法行為！

しのざき総研 @ginkouyushipro　2022年7月10日

中小企業金融は企業会計原則と乖離している。粉飾をしている中小企業は多い。 30〜35% は売上の前倒しや在庫の水増しをしている。販売管理費の一部を仮払金に振り替えて粉飾することもある。基本、税理士から粉飾指南をすることはないが、中小企業の社長さんは粉飾に対する罪の意識は薄い。

　金融機関が企業に融資を実行するか否かの判断基準となるのが決算書。

　その決算書の数値が思わしくない会社の社長の中には、この数値を実態とは異なるものに改ざんする人もいます。これが粉飾決算です。

　粉飾決算は違法行為です。

　違法配当罪（会社法第 963 条）、特別背任罪（会社法第

960 条)、詐欺罪（刑法第 246 条 2 項）、有価証券報告書虚偽記載罪（金融商品取引法第 197 条）などに問われる可能性があります。

　損害を受けた相手方から損害賠償請求をされる可能性もあります（会社法第 462 条・第 429 条、金融商品取引法第 24 条の 4 など）。

　また顧問税理士が関与していた場合は、職業的専門家としての善管注意義務（善良な管理者としての注意義務）違反に問われる可能性もあります。

　それ以外にも、粉飾決算が判明すると、多くの場合、取引先との取引関係を維持することが困難になることは容易に想像できます。

　粉飾決算は絶対にやってはいけないのです。

資本性劣後ローンがないと生き残れない？

しのざき総研 @ginkouyushipro　2021 年 3 月 5 日

最近、資本性劣後ローンの問い合わせが激増してきた。私は 15 戦 12 勝 3 敗です。この 3 敗は初めから審査が通らないことを弊社から伝えた前提で動いたので、実質成功率は 100％です。今後は成功率をより高めたいので事前面談にて案件の精査をしていきます。このローンのハードルが高いのは当然なのです。

　劣後ローンはコロナの影響を受け続けることが前提。

　コロナ前はどうにかこうにか黒字だった。コロナの影響を受けたが V 字回復するために、銀行融資の毎月元金を返済していかなきゃいけないんで、それを 10 年間とか 15 〜 20 年まで元金返さないで一括で借りていいっていうのが資本性劣後ローン。元金は借りたまま返さなくていい。政府系金融機関が貸すやつだから。日本政策金融公庫とか。

正確に言うと、5年1か月、7年、10年、15年、20年。借りたら借りっぱなし、資本金として見ていくと、お金がずっと回っていく。

　利益を出して、お金が貯まらないと返せない。だから経営計画を作らないとダメ。経営計画がないと、このローンは借りられません。

　だから私は資本性劣後ローンを日本一やっているのではないかと思っています（令和4年11月末時点で51件）。

　どっちかというと、運転資金として使うイメージですよ。別に設備投資でもいいんだけど。

　資金繰りをよくするために毎月返す必要はない。そのかわり、政府系がお金を出しているから、民間の金融機関の返済が進む。ずっと借りっぱなしだから資金が回っているということになる。

　一方、民間の金融機関の融資は落ち込んでるから、落ち込んだ部分はちゃんと面倒見るってこと。

　官民共同で中小企業を支援するっていう融資なんです。

　この融資が受けられる会社は当然、市場に残れる可能性があります。

　ただ、すべての会社が借りられるわけじゃないから、申し込む権利はあるけど、公庫のほうも足元をしっかり見る。コロナ融資をがっちり借りているところで、民間が支援しないところは融資しないと思う。

■自社のマイナス面を強調しすぎない

　粉飾決算や重大な事実を隠すのはよくないことですが、銀行に対してことさらに自社のマイナス面ばかりを強調しすぎるのもよくありません。些細なことでも、銀行から「この会社は先行き望みがうすい」というレッテルを貼られることにもなりかねません。

　例えば新しい決算書を提出する際、年商が1億5,000万円から1億2,000万円にダウンしていたとしましょう。

　その説明として、「うちの商品がなかなか売れなくなってきました。今後の回復の見通しは立っていません」

　これはNG。銀行側は「この会社は厳しいな。新規融資は当面見合わせたほうがいいな…」と思ってしまうのです。

　この場合は、次のように改善策を織り込みます。

　「既存の商品の売上が落ち込む中で、新規商品の開発が進まなかったのが大きな理由です。現在、新商品を開発し（その資料を見せながら）、これを既存の300件の顧客に声をかける予定です。また営業強化のために営業マン1人当たりの1日平均訪問件数を5件から7件へ増加を必達にするなどの対策を行って、次期決算は売上1億5,000万円に戻す予算を立てています」

　銀行員に、会社の将来を期待させるように伝えるのです。

第4章

会計事務所の
実態を知れ！

社長が会計事務所に物申せないのは

しのざき総研 @ginkouyushipro 2021年3月3日

会計事務所を選択する基準を顧問料で考えるのはやめたほうがいい。また、社長が簡単な簿記の知識がないと会計事務所との連携はうまくいかない。とにかく税理士は顧問先のことを考えない人が多い。数年に一度でもいいので、顧問税理士が適切な仕訳をしているのか、セカンドオピニオンを入れてもよいと思う。

　顧問料で判断するのは論外。安かろう悪かろうじゃダメなんですよ。

　社長自身に会計リテラシーがあって、自社のお金の流れを人前で20～30分程度、業績などについて話せる前提があって、そのうえで入力を頼んでいるんならまだいい。

　お金の流れと試算表で月次の流れを見たときにブレてるかどうかわかるから、会計事務所に物申せるんですよ。

物申せないってところが最大の弱点。

私は簿記・会計をすごく勉強していたから、銀行員のときは税理士を手玉にとってた。

「先生、これ仕訳が違うだんべ。粉飾に加担してるよね」って。

すると、その税理士の顔が引きつるわけです。

「何を根拠に…？」とくるから、「前にも言いましたけど、私、大学1〜3年まで公認会計士の勉強1日6時間やって銀行員になったから」って言うと黙ってしまう。

試算表を毎月チェックしていれば粉飾は防げるんです。

試算表の貸方、借方って、必ず連動してる。そこで「粉飾してるじゃねーか！」ってのがわかる。

「ダマテン」って言って、わざとしかけておくんですよ。重点先、つまり融資の残高が1億円以上の融資先には、私は試算表を毎月出せって言うんです。

決算書で粉飾できても、帳尻を合わせるためには、試算表でもやっておかなければならない。

私は銀行員のとき、試算表で粉飾をやらせないために、重点先には毎月試算表を出させていました。それで粉飾してたら、「銀行員ナメんなよ」って思ってたから。

それで残高チェックをするんですよ。辻褄が合ってない

と指摘する。

　試算表の残高の流れが合ってなかったり、不自然な動きがあると「これ、支店長にはまだ言ってないから、全部説明してください」って。

　「支店長に言ってないって意味、わかるよね？」って伝えて、これ以上の悪さをさせないようにしていました。

　銀行員も悪いんですよ。会計リテラシーがないから、結局そのあたりを見ることができない。

　毎月試算表を出させていたら、絶対にいじれない。だから重点先で融資残高が１億円超のところは、支店長からも言われてたんで、私はそういうやり方でやってました。

　私、税理士だと思われていることがあるんですよ。

　「決算書、作れるんでしょ？」なんて言われるんです。作れるけど、私が作った決算書を出したら税務署に処罰されるから。税理士法違反。これが答え。

　税理士のやっていることは記帳代行、仕訳の入力に税金の計算だけ。それに試算表と決算書の作成。それ以外は期待してはいけない。税務的なことについて、まともなアドバイスもしてくれないところもある。だから、税理士に頼ってはいけない！ってことです。

経営者にとって必要なのは、メインは経営の相談なんですよ。会計の部分でいうと財務会計とか管理会計って部分ですね。

でもね、管理会計って、税理士の試験に出てこないんですよ。

簿記論と財務諸表論は財務会計のカテゴリーです。

財務会計っていうのは、粉飾をしないで簿記の原則に則って、第三者にありのままの事実、真実を表現するってこと。真実性の原則っていう会計原則に基づいて。

時代が求めているのは今、コンサルティング能力なんですよ。

銀行員しかり、会計事務所しかり。だから「銀行融資診断士」受けなさいって中小企業の社長に言うんですよ。

私のところに相談に来ること自体おかしいだろって。

ということは、今付き合っている会計事務所に必ずストレスを感じているはず。仕訳も意外といい加減。自分たちが責められないように最後は揉み消しちゃう。それはなぜか？

お客さん（顧問先）に会計リテラシーがないから。だからいいように言いくるめられてしまうんです。

なんでもかんでも税理士に相談するな！

> **しのざき総研** @ginkouyushipro　2021年2月23日
>
> 会計事務所のいうことを全幅に信頼している社長さ
> んは、じつに可哀想だと思う。なぜなら、会計事務
> 所に経営分析や解決策の提案はできません。それが
> できるんだったら今回の事業再構築補助金の経営計
> 画も会計事務所に作成してもらったほうがいいです
> ね。なんせ経営革新等支援機関になっているから
> ね。

　田舎に行けばいくほどその傾向が強いですね。

　いまだにお金のことは全部、会計事務所に相談する。首
都圏では税理士の能力はそうでもないってことがバレてる
からそうでもないんだけど、田舎、とくに日本海側はひど
い。四国や九州も。

　税理士のことを地元の名士って思ってるんだから。

　生命保険も銀行融資も、事業承継関係の相談も、まずは

税理士の先生に相談する。

　税理士は、わかることは答えるけど、わからないことはゴニョゴニョとごまかす。

　お金を借りることだけじゃない。

　保険なども同じですね。

　税金のことはいいんですけど、節税の話まで相談してしまう。

　地方都市へ行くと、いまだにそういう感じです。

　だから地方の保険人は苦しんでいますよ。今は会計事務所が普通に保険商品を売ってるから。

　会計事務所に保険の相談でもしようものなら、かぶせてくるわけですよ。

　「あー、Ｐさんですねー。いい商品かもしれませんね。でも、もっと率のいい商品がありますよ」って言われたら「そうですか！」って、そちらに乗り換えちゃう。

　そりゃ保険人は気に入らないですよ。そこで売上をあげる手伝いや、見込み客の紹介なんかやられたら、逆に保険人も攻めに行きますよ。

会計事務所は融資のアドバイスをできない

しのざき総研 @ginkouyushipro　2021年5月10日

会計事務所の銀行取引アドバイスはショボくて笑える。せいぜい日本政策金融公庫の融資か信用保証協会付融資の制度融資の紹介程度しかできない。銀行融資は目に見えるようで見えないからこそ、融資案件の取り組みを安易に受けると火傷ではすまないから、会計事務所は取り組まないほうが得策だと思う。

　「One of them」といって銀行融資っていうのは、1,000件あったら1,000件全部内容が違うんですよ。

　会計事務所って、まずは代表者が難関資格保有者じゃないですか。公認会計士も含めて。すごく難しい条文を全部、一言一句間違えないで覚えてやっている。

　だから、レディメイド型のもの、つまり既製品には対応できる。

しかし、フルオーダー型のものなど、ちょっとズレてくると思考停止するようになっているんですね。

　私は元銀行員だからできるんじゃなくて、話を聞いて組み立てるからできるんですよ。
　既製品の中に無理やり押し込めようとすると、無理なんです。その違いがわからない。

　銀行融資そのものについて会計事務所に相談しても、的確なアドバイスが出てくることはない。
　当然でしょ。彼らは学んでないし、経験もない。あるようなフリをしてるだけなんだ。
　彼らのアドバイスは、例えば「日本政策金融公庫の国民生活事業部に行ってくれ」って言って、それでおしまいなんですよ。
　あとは「銀行に相談してみると、いい制度融資があるだろうから、それを使えば」とか。
　そういうことしか言えないんです。自分のところが融資の運転資金も必要なく、連帯保証人になったこともないからわからない。
　そういう会計事務所に過度な期待をしている社長のほうがどうかしている。

税理士２人いれば税理士法人だが、その実態は

しのざき総研 @ginkouyushipro　2021年5月7日

会計事務所は季節変動型労働の典型だ。 12月中旬
〜翌年の5月末までの5か月半で7割程度の売上
を上げる。この間の顧問先の試算表の対応や資金繰
りの相談、銀行融資の相談は、多忙になるから手を
抜きがちになりやすい。それでも顧問先は会計事
務所を根拠もなく信用しているから、じつに不思議
だ。

　ほとんどの会計事務所は12月中旬から翌年5月までで、
年間の売上の7割ほどを稼ぎ、それ以外の時季は基本ヒマ。

　会社が12月、1月、2月決算で銀行の融資を受けるとき、
試算表の提出を頼んでも出てこない。

　日常業務をやりながら他の業務をやらないといけない
から。手を抜いているんじゃなく、手が付けられないくら
い忙しいんです。

各担当者まかせで、会計事務所内で情報を共有しきれていない。誰か他の人が代わって引き受けるってことはない。同じ事務所にいても、それぞれが独立しているようなものなんですよ。

　あるお客さんが依頼している会計事務所の担当の税理士さんが突然亡くなったことがあったんです。すると何がなんだかわからなくなった。

　だから私は「会計事務所を変えろ」って言いました。会計事務所に依頼しているといっても、結局、担当者に依頼しているのとほとんど同じ。

　仕訳の仕方が統一されていて、しかも引継書が随時更新されているんだったら、万が一のことがあっても引き継ぎができますから。しかし、それができている会計事務所は少ない。大手の税理士法人はやっているかもしれませんが。個人事業主に毛が生えた、スタッフ４〜５人程度でやっているところは組織化できてないから、リスクマネジメントは無理でしょうね。

　税理士法人って税理士が２人いればいいんです。２人いれば、万が一、１人の税理士に何かあったとき、もう１人が引き継いで顧客対応できます。

　しかし、多くは顧問先が各担当に紐づいて属人化している。辞めるときもちゃんと引き継ぎをやってくれればいいんですけど…。残念な会計事務所が多いんですよ。

試算表は経営の振り返りのために作る

しのざき総研 @ginkouyushipro　2021年10月24日

会計事務所が毎月試算表を作成してくれないと、融資の相談を受けたときに何もできなくなる。試算表は毎月作成するのが当たり前なのに、作成しないのは会計事務所の怠慢だ。顧問先は会計に関しては無知なケースがほとんど。融資に関係なく試算表は作成するのが当たり前ではないか。

「年イチ決算」とは、決算書を作成するだけで試算表は基本的に作成しないことをいうが、年イチ決算の先が融資申し込み時に試算表の作成依頼をすることがよくある。でもね、試算表ってお金を借りるためだけに作るんじゃないんですよ。経営の振り返りのために作るってのが本来の目的なんです。

　例えば、飲食業や小売業などの現金商売の場合、仕入の金額で翌月いくら払うかってわかってたら、経費のことは

すぐにわかる。入金は現金商売だからすぐに確認でき、資金繰り表で管理できる。

　現金商売じゃない、製造業や建設業などは、絶対に毎月試算表を作らなければいけない。

　だから私は「試算表を出さないとお金は貸さないよ」って言っていました。すると社長から「え？」っていう反応が返ってくる。そうしたら「試算表のことは会計事務所に言ってよ。こっちは関係ないから」って突き放してました。

　ちゃんと会計事務所に依頼して作ってもらえばいいんですよ。会計事務所だって、もらえるものをもらえるんだったらやるんですから。タダでやってくれなんて言われたってできないでしょ。それを私に言ってくるんですから。「なんでお金払って作ってもらわないの？」ってなりますよね。

　そこで会計事務所に電話してみると、税理士は初めて聞いたようなことを言う。「試算表、作りたいけど作らせてくれない」って。

　じゃあ結局、社長が悪いんじゃない。「どうするの？ やるのやらないの？ 早く会計事務所に頼め！」って。そういう具合に私が教育していましたから。

　私が支店長に怒られるんですよ。お前のシブリ、つまり仕事ぶりが悪いからって。お前がちゃんと、会計事務所も含めて教育できていれば融資は出せんだろって。

時代から取り残される会計事務所

> **しのざき総研** @ginkouyushipro　2021年12月9日
>
> 会計事務所との付き合い方を考える時期が来た。9
> 割以上の会計事務所は日常業務が多忙で管理会計的
> 支援に取り組めていない。経営支援をしようと考え
> るのであれば、自計化を促進しないと話にならな
> い。対話型でいかないと会計事務所は完全に時代か
> ら取り残されていくことを忘れてはならない。

　もう令和の時代ですよ。平成は昭和の延長で、令和は
ニューノーマルの時代、新しい時代に入っている。時代の
流れです。いろんなことが当たり前じゃなくなったんです
よ。

　銀行も今後は事業性評価融資、現場の目利きの涵養と
いって、私がやっている経営コンサルティングに近いと
ころで仕事ができなければ融資はするなっていうことに変

わってきた。

　だから、それに即して会計データも準備できないところはお金を貸せなくなってきた。銀行の融資基準が変わったってことです。

　事業性評価融資はこれからもずっと続きますよ。融資基準が変わったことに対して、会計事務所がついてこれない場合は、中小企業はお金を借りられないってことです。

　■事業性評価融資とは

　　銀行に対し財務データや担保・保証に必要以上に依存することなく、借り手企業の事業内容や成長可能性などを適切に評価し（事業性評価）、融資や助言を行い、企業や産業の成長を支援していくことを求めたものです。
　　バブル崩壊後、金融検査マニュアルを元に銀行の融資姿勢が過去会計である決算書を重視するようになり、担保や保証が必要以上に求められ、事業の将来性よりも決算書の収益性や安全性が重視されるようになりました。その影響により、地域に必要な企業の再生支援や将来性のある事業への融資が難しくなってしまいました。
　　この状態の脱却を図ることを目的としたのが事業性評価融資です。

社長、会計事務所にちゃんと言ってよ

しのざき総研 @ginkouyushipro 2021年5月8日

会計事務所と付き合うときには、経営計画の策定支援・資金繰り表の作成及び管理、銀行融資の相談が最低でもできないと役に立たない。会計入力まで依頼するのであればその分加算されるだけ。

しのざき総研 @ginkouyushipro 2021年12月14日

会計事務所との付き合い方は銀行融資に多大な影響を及ぼす。勘定科目の決定は大切であり、会計事務所の言うことを疑う必要はないが、社長に会計知識がないと会社の成長に拍車はかからない。つまり、会計事務所と社長がシンクロできないと、財務の可視化は不可能となる。

社長自身に会計の知識があれば、言うべきことを言えるわけですよ。

　なんで私が会計事務所に嫌がられるかというと、知識があるからなんです。

　お金を借りたいのなら、まずは会計リテラシーがない自分たちを反省してくれと。それと同時に会計事務所には毎月試算表を出してくれ、くらい言えと。

融資に効く特効薬はない。

　銀行は、融資先から自発的に融資を受けるための資料を提出してもらいたいと考えている。

　たかが試算表、たかが資金繰り表。

　試算表は会計事務所に有料で依頼すればいい。

　社長に資金繰り表の作成イメージがなければ社員も作成できないのだから、資金繰り表もまずは社長が作成すればいい。

　会計事務所だって、試算表を作るのに2〜3週間はかかるんですよ。いきなりは無理なんです。

　「タダで作れるわけないんだから、お金取れよ」って会計事務所には言っています。

　なんで私がお客さんと会計事務所の交通整理をしないといけないんだ‼

現金主義で仕訳すると数字が合わなくなる

> **しのざき総研** @ginkouyushipro　2021年3月11日
>
> 本来は発生主義で仕訳をしなければならないのに、現金主義で入力をする勘違い会計事務所がごくまれにある。何でそういうことをしているのか？　答えは、会計事務所の仕事が楽なので。でも顧問先がそれが間違っているということに気づけない。会計事務所を信用しているので目を覚まさせるのに大変だ。

　元来、仕訳は発生主義でやらなければいけないものなんです。

　なんで現金主義でやっているのか、私にもわからない。入金されたら売上を立てて、支払ったら経費を計上するんだと。

　決算書の数字が合わないことがときどきありますよ。

仮に現金商売だったとしても、経費の支出は翌月以降の支払となるので、現金主義でやったら、数字がまったく合わなくなるのは当たり前。

　立て替え払いでやっているところは、発生主義でやらなきゃダメです。資金の構造上の特徴を理解してやっているかどうかですよ。

　仕訳の仕方がひどい会計事務所がありました。

　小売業や卸売業、サービス業は原価を入れなくてもいいけれど、原価がある建設業や製造業、運送業で、原価に人件費を入れなかったり、外注費を入れていないっていうのは言語道断。

　粉飾に加担している会計事務所もある。そんな会計事務所は、要らない。

　会計の透明性の確保、信憑性の確保という二つの見地から考えてみたら、財務会計の根底が揺らいでいるわけです。そういうのは決算書を見たときにわかります。

　でも、会計事務所は、自分たちは国から資格を与えられてやっているから、自分たちの判断は正しいんだっていう決めつけがある。悪いけど、審査部の経験がある銀行員のほうが財務会計は詳しいですよ。

　あと格付けね。税理士の国家資格なんか持ってなくても銀行員のほうがよっぽど実態を把握する能力は高い。

　PLの「経常利益」以下の数字の辻褄が合っていればいいのだろうと安易にとらえている税理士も、一定割合存在する。

　先述したように、業種によって原価に材料費・労務費・外注費・その他経費など、現場でかかるお金を適正に仕訳していない会社が多い。その代表職種が建設業・製造業・運送業だ。

　いい加減な仕訳をしていると売上高総利益率が異様に高くなるが、原価管理がいい加減になっているので、「営業利益」以下は黒字でも些少か、赤字傾向の会社が多いのが事実。

　だが、会計事務所は顧問先の損益には興味があるようで、じつはない。そもそも顧問先の損益に興味があるのであれば、顧問先の業種に応じた形で原価の仕訳設定をして、定例訪問時に試算表に基づいて経営の振り返りをしなければならないのに、ほとんどの会計事務所はそれをしていない。

　ちなみに、経営者であれば、原価に着目して粗利益の管理をしていく。

　社長さんは簿記・会計のセンスがないから、原価の項目

を適当にされていたとしても、会計事務所のことを信用しきって、赤字を垂れ流している原因すらわからないでいる。

お客さん（顧問先）に会計リテラシーがないから、会計事務所のいいようにやられてしまう。

だからこそ、「粗利」（売上総利益）を管理するのです。私は銀行員の時からそうしていた。いい加減な仕訳をしている融資先がある場合は、融資先の会計事務所の担当者を呼んで、「このままでは今後の融資に多大なる影響が出てくるので、当方からの指示のように仕訳を変更願えませんか」と伝えていた。

それでも無視するようなケースでは当然、会計事務所の変更を融資先に示唆して可視化が図れるようにしていた。

会計事務所は経営計画書を作れない

しのざき総研 @ginkouyushipro　2021年5月7日

会計事務所のことを経営コンサルティング会社と混同している顧問先が多い。会計事務所は会計事務所であって、経営コンサルティングのできる事務所はほぼないと言っても過言ではない。税理士の試験は会計関係が2科目に税法関係3科目。経営計画策定や資金繰り、銀行融資に関する試験はない。

　会計事務所って昔、広告を打てなかった時代があったんですよ。電話帳には載せていましたけど。

　多くの会計事務所はコンサルティング会社を別に持っているか、提携しているんです。いまはそれがバッティングしちゃってる状態なんです。

　会計事務所のホームページなんか見ると「コンサルティングやってます」なんてことを謳っているけど、みんなだまされちゃう。かわいそうに。

じゃあ今回の経営計画、作れるよねって言っても作れやしない。SWOT分析、PEST分析、5フォース分析、それらを当然やったうえで30～40時間かけて分析して組み立てて、その結果をお客さんに話をして、数字が1円もずれないようにやってみろって。できっこない。

会計事務所や税理士は、仕訳にはうるさいイメージがあるけど、そこはケースバイケース。

粉飾は最初から認めないよとか、ある程度経営者の話を聞いてあげて、業種業態とか個別に合った形で仕訳の設定をしてくれるような会計事務所が日本にどれだけあるのか？　ないとは言わないけど、ほとんどない。

税理士は今、全国に7万7,000人くらいいるけど、そのうち、ちゃんと試験に受かってるのって3割ほどしかいない。ほとんど税務署出身者ばかり。税務署に入署して、23年以上勤務して指定研修を受ければ、全科目免除されるようになる。彼らの頭の中は、コンサルより税の徴収のことばかり。

ちなみに「会計士」とか「経理士」なんて資格はない。「税理士」「公認会計士」ですよ。なぜか地方に行くと「会計士」「経理士」っていう資格があると思ってる人がいる。税理士のことを経理士って言ってる人が多いんですよ。

税理士の言いなりになるな

しのざき総研 @ginkouyushipro　2022年6月9日

税理士は、自分がえらいと勘違いをしている節がある。当然、銀行融資に口を挟んでくる人もいる。ひどい場合は、税理士自身がひいきにしている銀行を利用させるように動くこともある。メイン銀行をバカにすると、そのしっぺ返しの代償が大きいということを忘れてはならない。

　群馬銀行にいたとき、あるメイン融資先が勝手に足利銀行（栃木県の地方銀行）から融資を受けていたんですよ。

　普通、融資はメインバンクに打診してから、ケースによってはサブバンクで借りたりするんです。それをいけしゃあしゃあと足利銀行から借りちゃった。

　当然、支店長も烈火のごとく怒るわけですよ。

　お客さんのところに行って、「悪いけど社長、支店長が怒ってるんで。どうします？」って。

すると「いや、会計事務所が…」って言い出す。

「じゃあ会計事務所を呼べ」って。

それで、その税理士に「うちが出してる1億円の融資、お前が返せ」って言ってやりました。

まあ、その税理士が足利銀行と仲良かったんですけどね。「足銀、足銀」って言ってたから。

私は「人斬り以蔵」って言われるくらいスパンと刀を抜くので。

「税理士の先生に言われたから」という言い訳で銀行が許してくれるわけないじゃん。群馬銀行に限らず、他の銀行でも同じですよ。

私がいたころの銀行って、税理士なんかよりは銀行のほうが格上と思ってましたね。自分たちが地元で一番エリートだと思ってるから。

だから、「なんで税理士ごときに」って、そんな感じなんですよ。

■決算書は真実性の原則に則ったものを

　決算書は、会社が1年を通してどのようにお金を使い、どのような活動をしてきたかを表したもので、その会社の事業活動を理解するための書類です。

　決算書を見ることで、その会社が一定期間内にどれだけの業績を残すことができたのか、前の期間と比べて業績が改善されたのか、資金を有効に活用しているか、などさまざまなことがわかります。

　会社内では、事業の進捗を確認し、今後の戦略を考えるための「内部資料」として使われます。

　一方で利害関係者が、その会社の安全性、収益性、成長性などをチェックするための「外部向け資料」としても使われるものです。

　そのためには正確な決算書が必要です。

　決算書作成には「企業会計原則」というものがあり、会計処理を行う際には、この原則に従うことが要請されています。

　なかでも企業会計の一般原則と言われるものは、最も重要な原則で、以下の7項目があります。

①真実性の原則

　企業会計は、企業の財政状態及び経営成績に関して、真実な報告を提供するものでなければならない。

②正規の簿記の原則

　企業会計は、すべての取引につき、正規の簿記の原則に従って、正確な会計帳簿を作成しなければならない。

③資本取引・損益取引区分の原則

　資本取引と損益取引とを明瞭に区別し、特に資本剰余金と利益剰余金とを混同してはならない。

④明瞭性の原則

　企業会計は、財務諸表によって、利害関係者に対し必要な会計事実を明瞭に表示し、企業の状況に関する判断を誤らせないようにしなければならない。

⑤継続性の原則

　企業会計は、その処理の原則及び手続きを毎期継続して適用し、みだりにこれを変更してはならない。

⑥保守主義の原則

　企業の財政に不利な影響を及ぼす可能性がある場合には、これに備えて適当に健全な会計処理をしなければならない。

⑦単一性の原則

　株主総会提出のため、信用目的のため、租税目的のため等種々の目的のために異なる形式の財務諸表を作成する必要がある場合、それらの内容は、信頼しうる会計記録に基づいて作成されたものであって、政策の考慮のために事実の真実な表示をゆがめてはならない。

　この7つの原則が守られていない決算書を銀行に提出すると「この会社は財政状態と経営成績に関して真実を報告してくれない」という印象を与えてしまいます。

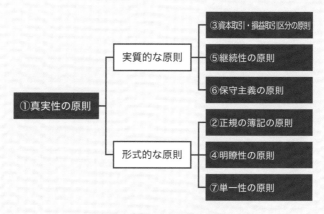

企業の会計の一般原則

出典：『銀行融資診断士® 検定試験〈初級 公式テキスト〉』

第**5**章

保険人は経営の
ことなんてわからない

決算書だけを見て提案する保険人はダメ

> **しのざき総研** @ginkouyushipro 2021年2月28日
> 私は8年前から保険人に簿記の重要性を説き続けて
> いる一人です。簿記すらわからない人が、経営者の
> 前で経営の話をできるはずもない。保険人は税務を
> 財務と勘違いしていることをわかっていない人が多
> い。コロナ禍で損金性の高い保障は必要なくなって
> きました。保険は掛け捨てがナイスという時代です。

　保険人は、税務のことをよく知っています。贈与税とか
相続税とか、よく勉強しているから知ってるんです。

　なかでも法人保険をやっている人は、大間のマグロ漁と
同じ一発屋。赤字の会社には営業に行きません。だって保
険料が払えませんから。お金を持っていなくても、儲かっ
ている会社の社長を狙って営業をかけます。

　儲かっている社長の7割くらいは、節税志向です。節税
志向だから、儲かったときに、保険人は税理士とタッグを

組んで、税理士さんに紹介料として手数料を半分払うなんてことをするわけですよ。

　生命保険は、貯蓄とか節税とか、そういうことはどうでもよくて、本来は保障が目的でしょう。万が一のときにどうやって会社を守っていくかが大事なわけです。結局、保険は万が一の備え。
　過去にどういうお金の使い方をしているか、そのうえで保険という未来に対しての起こり得るべきことを想定して考えることです。3年後、5年後、10年後どうなりたいか聞いたうえで、万が一のことがあったらどうするって話なんです。

　例えば今、ある企業の売上が5億円で、借入金が2億円あったとしましょう。10年後、それをいくらにしたいのか。毎年5％ずつ増えていったら、10年後には8.14億円。つまり、10年間で約63％売上が増加する。そのとき借入金ってどれくらいあるの？
　ダメな保険人は、これを聞かない。過去の決算書から保険を提供しているだけ。
　そういう文化なんですよ。

保険人はヒアリング能力が高い

> **しのざき総研** @ginkouyushipro　2022年3月11日
>
> 保険人というと、しつこいってイメージがありますね。何かあると保険に結び付けて専門的なことをまくし立てられて入らなきゃいけないと思って、入ったあとに後悔するんじゃないか、お金をむしり取られるんじゃないか。でも保険人で生き残っている人は「保険屋」というニオイを出さない。

　保険人と銀行員の最も大きな違いは、ヒアリング能力だと思ってます。保険人はヒアリング能力がべらぼうに高いんですよ。

　私は損保ジャパンにいたとき、プルデンシャルやソニー生命の人から営業の基本について教わりました。ニードセールス手法を教わったんです。

ニードセールスのニード喚起とは、お客様の抱えている不満や不安を掘り起こすこと。このニードを喚起するためには、ヒアリング能力を高めないと話にならない。ヒアリング能力を高めていくためには、ロープレをするが、そのときにノンバーバルコミュニケーションのトレーニングをしていくのです。

　営業はサイエンス、つまり科学されている。

　それをやってきたから、元銀行員でありながら保険もそこそこ売れて、銀行の見地から保険人に保険の売り方を教えることができるようになった。

　保険人で生き残っている人は、相手のメンタルブロックを解除するのがうまい。
　足を組んで、腕を組んで、頬杖ついている人がいますね。それを１時間程度で自分の世界に引き込み、メンタルブロックを解除していく強者がたくさんいる。
　どういう会話をしていけばいいか、間をとるためにはどうすればいいか、話題提供どうすればいいか。
　そういうのをすべてトレーニングしてやっていく。
　あとはセルフミッションです。自分がなぜこの仕事をやっているか。

未来のあるべき姿から逆算して提案する

しのざき総研 @ginkouyushipro 2022年5月26日
生保人に財務を教えて10年目。決算書分析、銀行
融資、経営計画、資金繰りの見地から研修をしてい
る。個人生保と法人生保は基本的には同じ。でも簿
記や会計を保険人は知らないからその意味がわから
ないようだ。簿記や会計は社会人としてのマナーで
す。彼等は間違いなく彷徨うのだろう。

　生命保険っていうのは、未来のあるべき姿から逆算して
提案するもの。だから、例え話で「売上＝身長」と考えます。
「社長、身長が伸びたら、何が増える？」って。体重ですよね。
体重が増えたらそのうち3〜4割は骨ですよ。残りが筋肉、
贅肉。銀行融資は筋肉にも贅肉にもなります。負債のうち
の半分くらいは借入ですから。
　今、借入がいくらあるのか？　身長（売上）が伸びたら
その倍率で同じくらい体重が増えてもおかしくないでしょ

う。例えば、5億円の売上で借入が2億円だったとして、売上が8億円で1.6倍になったら、借入は3.2億円くらいになってもおかしくない。1.6倍になるんだから。

　保険に入ってるんだったら、毎年決算書を出して「うちの会社の健康診断してくれ」って何で言わないのって思いますね。保険は会社の健康診断と同じなんですから。

　例えば個人の保険の場合、55歳、晩婚で子どもが中学生、働き盛りで何歳くらいまで働こうと思っているのか？定年延長だから70歳くらいまでは働きたいとする。今の給料、何歳くらいまでもらえるか？　先輩の姿を見ていたら、雇用延長で65歳まで延長しても、そこから給料が一気に半分になる。年金は満額もらえるから、在職者が老齢年金をもらってたときに、どれくらいの収入になるんですかねって、人生をイメージしていたらしゃべれるんですよ。

　売上がわかって生活スタイルがわかっていたら、その過程で万が一のことがあったときにどれくらいのお金が必要か、話ができるわけです。ライフプランっていうのは逆算してるわけですよ。

　なんで法人の場合はしないんですかって。できないんですよ、保険人に簿記・会計の知識がないから。

　税の繰り延べなんかしたってお金ってのは増えないんです。経営は予定通りにはいかないので。解約して100%

以上必ず戻ってくるんだったらいいけど、税効果っていうの使ってぼやかしてやってて、105%とか。ありえない。

　同じ利益が5年10年続くのならともかく、そこが不確実なんだからやってもしようがない。ビジネスプランニングに取り組んだうえで提案しているんだったら話は別ですが。

　会計事務所、銀行員、お客さん、保険人、みんなに会計リテラシーがない限り、共通言語で話ができない。

　そもそもお客さんにとっての万が一のことって、過去ではなくて未来の話じゃないですか。自分が亡くなったとき、1億円足りないと現時点でわかってるんだったら、解約しちゃうか、追加で入るか、どちらかしかないわけですよ。必要だと思ったら追加で契約する。

　未来に向けて計画を作って、資金繰り表を作って、試算表を作って、銀行融資のことまでわかってるっていうんだったら、私はそこで保険を売りますよ。セールストークなんてしません。握手しておしまい。

　「経営計画を作っていますから。これでお願いします」って言われれば、「いいよ」ってなる。保険をやってる人って、そんなこともまったく知らない。

　お客さんは気づいてない。頭のいい経営者だったら「解約して戻りが100%以上になってなければ払う意味ない」「なんで損してまでやらなきゃいけないの」って言います。

安易な退職金制度は危険

> **しのざき総研** @ginkouyushipro　2022年4月13日
>
> 中小企業に社員の退職金は必要なのだろうか。保険人は必要と言う人がほとんど。私はいくつかの前提条件をクリアしているのであればOK派。会社の事業継続がある程度約束されていないのに、社員の退職金を生保で積立をするのは 「？」 だな。資金繰りに窮すると、その積立金は資金繰りに流用されるから。

　そもそも退職金制度がないところになんで作るの？ 作るメリットはなんなの？ 一度制度を作って、それをやめるのがどれだけ大変か、わかったうえで言ってんの？

　保険人からすると、大体30名から50名くらいの企業で、1人当たり1万円、月50万円くらいで、半分経費で落とせるような保険に入ってもらえると、初年度だけで手数料が3割とか4割とかになるんです。

　だから売れる保険がない場合は、役員退職金と従業員退職金なんかをあてにする。

　帝国データバンクの評点で55点以上の内容のいいところ、規模のデカいところで、100人とか300人の企業に営業に行く。

　そして時間をかけて仲良くなる。年に1本2本大間のマグロみたいに一本釣りする。

　社労士とか税理士と組んで、人海戦術でやることもありますね。

　社長のミッション、従業員にどうなってもらいたいの？そのための教育はどこまでできているの？

　だったら10年後の御社のあるべき姿で決算書を組んだときに、余剰資金どれだけできるの？

　それがわかってて、予算配布として退職金の準備であてはめられるのかって言われたときに、ほとんどの社長は、まず答えられない。思いだけで安易に退職金を組むことがどれだけ怖いか。

退職金も給料の一部

> **しのざき総研** @ginkouyushipro 2022年1月7日
>
> 中小企業は時代の流れに追いついてこれない。昔導入した退職金制度が重荷になっているときに、社長さんは、そのまま継続している。会社が損をしていたとしても、頭がフリーズしたままでいる。逆に、経営者は自分で考え、自分で調べ、自分の会社に合った専門家を見つけて、スムーズに退職金制度を廃止する方向にしている。

　私は自分の会社で退職金制度は作らないのです。時代の流れに即していないから。

　退職金も給料の一部じゃないですか。だったら月給で払うのが一番いいですよ。今の実生活で使えるお金を1円でも多く払ってあげないと。

　私は今、社員の給料を月給ベースで毎年1〜2万円／月上げています。例えば入社時に27万円でスタートしたら、

評価を適正に受けている社員は、翌年は29万円、その後は31万円、そして33万円になる。

そして、ウチは今のところ赤字になっていないから、業績賞与を10～40万円を払っている。もちろん残業代は100％支給している。

だから、丸3年も勤めれば、そこそこもらえるようになるのです。

中小企業の中では、昇給はいいほうだと自負している。ただ、代表の私が多忙のため社員の管理に適正に取り組めていないので、自然と残業が多くなることもある。

そこで、アクションプランとガントチャートで1か月分の想定する仕事を組みこんで、違う仕事をやっていたら注意する。

残業代がほしくて残業をしているわけじゃないってのはわかる。ただ、それはいかに自分で目標を設定してないか、自分の仕事量を把握してないか、という話になってくる。

現在の仕事量が120だったら、それを90にするための方法を身につければいい。

では、生産性を上げていくためにどうすればいいか。

今、ウチは社員が4人まで増えている。

今後も売上と利益が増えていく予定なので、社員は増え

ていくが、今の社員がセルフコントロールをできるように
なり、その文化が根づけば残業代自体が減る。

　各社員がセルフコントロールできる文化を創ることが
できれば、考えながら仕事をするようになるので、その結
果、収入も増えるようになる。

　そして、収入を自分で増やせるようになることが確信で
きるようになると、退職金についてとやかく言わなくなる。

　弊社は経営コンサル会社であり、代表の私が経営者でな
いと話にならない。

　今の時流に合った形で人事についても取り組んでいく
ことが、事業継続をしていくうえで肝要だ。

　社長さんといわれているような人たちは、一度導入した
退職金制度が足かせになって、資金繰りを圧迫している要
因になっていたとしても、いったん導入した退職金制度は
なくせないと勘違いをしている。

　「どうしたいのか？」をまず考え、自分で調べ、ケース
によっては、その道の専門家に依頼して、問題解決してい
かないと、時代の流れに取り残されるということを忘れ
てはならない。

役員退職金を準備するなら銀行で積み立てる

> **しのざき総研** @ginkouyushipro　2022年6月1日
>
> 昔は生命保険を活用して従業員の退職金を貯める方法が主流であったことは間違いない。保険会社は時代の変化に対応しようとはしない。特に、一社専属の保険人の離脱が止まらない。生命保険で役員退職金の積み立てをするのであれば、掛け捨てタイプの生命保険と銀行の定期積金をしているほうがよっぽどコストはかからない。

　保険人でも生命保険で業績を上げている人は、経営コンサルタントばりに話ができるから、お客さんのふところに飛び込むのは間違いなくうまい。銀行員なんて比にならないくらいうまいのです。聞く力がありますから。

　ただ、未来の経営に関するヒアリングをしたうえで、そこから出てくるリスクをどうやって保険で補填するか、そんな当たり前のことを確認していない。

経営者と社長の違いから入っていって、何をどうするべきかを話す。そのうえで会社が組織としてどんどんデカくなっているなら、「会社の内部留保もたまってきたし、そろそろ役員退職金の準備はいかがですか？」という流れで生命保険の活用をするのであれば理解はできる。

　そのときに終身保険（円建てドル建てについては触れない）で提案するのであればいいのだが、多くの保険人は自分たちの手数料のことをメインで考えがちだし、そもそも役員の人たちは生命保険のことは知らないので、言われるがままのお付き合いをしてしまいがち。

　一昔前であれば役員退職金に合った損金系の商品もあったが、この数年で利益の繰り延べに関して国からの規制が入った。その結果、有利な商品が徐々になくなり、役員退職金として魅力のある商品がなくなったのは事実。

　また、多くは外部環境変化には対応できない。仮に、生命保険で積み立てをしていたとしても、解約返戻金は契約してからの経過年数が短い場合はたいして戻ってこない。

　であれば、お金を借りてない他の銀行で退職金の積み立てをしたほうが、有事の資金繰りに役立つことは間違いない。

　そして、経営者の事業保障のため掛け捨てタイプの生命保険に加入したほうが、トータルコストで考えるとメリットがある。

継続 BS と清算 BS で保険は売れる

しのざき総研 @ginkouyushipro　2021 年 3 月 3 日

保険人は役員退職金の提案をするときに 「清算 BS」 の話をすると、提案がより効果的になることは間違いない。ただ、そもそも清算 BS という発想しか持てない人は経営者にうまく伝えることができないから止めたほうがよい。ただし、この考えを伝えると、保険人の評価が数段上がることだけは間違いない。

　決算書っていうのは基本、真実性の原則に基づいて、粉飾はしないっていう前提でやっています。

　それでも「粉飾してるでしょ？」ってなったときに、「継続 BS」って、銀行が融資先を格付けするってときに必要になる。

　そもそも決算書っていうのは、評価基準っていうのが混

在してるんですね。

　貸借対照表の資産って、時価と決算書の簿価が混在しているんですよ。

　負債のほうは、ほぼ時価。

　資産は簿価と違って、買ったときの金額が計上されている。土地や有価証券、ゴルフ会員権、生命保険の含み損益など、買った時点での値段が記載されているんです。

　簿価と時価が同じといったら、しいていえば現金・預金。これだけなんですよ。

　現金・預金に近いところでいうと、例えば売掛金。1年間でほぼ回収しているから。

　在庫もケースによってはすべて換金できるんだったら時価に近いお金。

　この3つくらいですよ。それ以外は、おおむね簿価なんです。それが混在しているんです。負債は、ほぼすべて時価です。

　決算書上、1億円の負債、買掛金、未払金とか、未払費用、借入金があったときに、値引きしてくれませんから。払う側が「1割値引きしてやるぜ」って言えばいいけど、よほどのことがない限り値引きはないでしょうね。

　ということは、負債が1億円で帳簿にのっかってたら、1億円払わなきゃいけないじゃないですか。

　貸借対照表で、例えば純資産が3億円あったけど、これって本当に3億円あるんですか？

　会計原則に則ってやってるっていったって、その会計原則の土台は税務会計。

　税務会計に基づいた財務会計の仕訳だから、簿価と時価が混在している以上は、実態の純資産ってのは表現してないんですよ。

　だから継続BSといって、会社を続ける前提で見ていったときに、多少、資産のところを圧縮してストレスかけたときにどうなるかってのを見たものです。それが銀行の格付けになる。

　清算BSってのは、全部換金処分したときにいくら残るのか。

　これがわかれば保険は爆発的に売れますよ。

管理会計は未来会計

しのざき総研 @ginkouyushipro　2021年3月3日

事業承継計画を策定していない会社が多い。中小企業庁の承継計画のイメージは10か年PLになっているが、10か年BSも欲しい。また、BSは「継続BS」と「清算BS」の策定もしておくと事業環境変化にもついていける。清算BSを作成するのは、自社のストレス耐性を確認するための最良な道具になる。

　会社を清算しようと思ったときに、決算書で5,000万円が純資産で残っていたとします。帳簿上は5,000万円残ります。

　しかし、6か月分くらいの社員の給料、家賃やその他経費などもある。仮に、家賃の保証金を1,000万円くらい積んであっても、原状回復や賃貸契約をしたときに2〜3割の無償償却がある場合はほぼ相殺ですよ。

　それを全部見積もっていって、会社を清算するときに持っている固定資産を売る。

　机やパソコンを売っても二束三文。ケースによっては引き取り費用をとられるかもしれない。

　するとどんどんマイナスになるでしょう。だから清算BSってマイナスになるケースは結構あるんですよ。

　そこで、純資産の数字にストレスをかけていったときに、会社がどこまで継続できるかってことを、しっかりと見ませんかってことなんです。

　会社を清算するときに、どこまで細かいものを見ていくか。未来会計っていわれている管理会計です。経営計画を作るとき、どこまで落とし込むか。

　私は保険も売っています。私には経営者の概念があるから。明確なミッションをもって経営計画を作って、自分で有言実行で成果を上げていき、振り返りをしている。逆に経営者に対してどうやればいいか伝えられる。

　そのなかで清算するんだったらどうなるか、継続するんだったらどうなるかってのを教えてあげるんです。

　直近の決算書だけで見るなってことです。

保険人がやたらと勧める保険商品は要注意

　それは売る側が売りやすくて儲かるから。保険の本質は貯蓄じゃなくて保障なんです。

　ドル建ても変額も、解約したときの戻りが、ソニー生命とかプルデンシャル生命とか実績出てるものがある。過去を振り返るとメリットがあるから加入はしますけど。それは過去の実績だから、未来も保証するものじゃない。

　資金は現預金以外に、例えば商売の本業で投資やってるならいいけど、保険料を払っても投資にはならないんです。

151

1 社専属と乗合との違い

しのざき総研 @ginkouyushipro　2021年2月28日

乗合保険代理店のHPを見ていると、いろいろなことが見えてくる。取扱商品を多くして毎月の控除の少ない代理店に保険人は動く。また、一般企業のような経営スタイルは必要ないようだ。人材育成ができる代理店はほとんどないな。これができて、法人マーケットの開拓をできる代理店は勝ち組に入れるかもね。

　要は1社専属でやっている会社、例えば日本生命だとか第一生命だとかの国内生保、プルデンシャル生命だとかメットライフ生命だとかマニュライフ生命だとかの外資系。加えて、今、第三勢力の代理店ってのがすごい力を持ち始めている。

　1社専属で勤めた人が乗合代理店に行ったら40社くら

いの生命保険会社の生保、ほとんど預かれるんですよ。

　個人の力はないけど、烏合の衆でも人が集まってくると、商品を各社が売るから。最高額の手数料もらえるんですよ。手数料のランク低いところから始まると、みんな食えないから。

　だから乗合代理店に行くんです。いっぱい商品あるから。

　生保人は損保のことをバカにする傾向がある。

　保全が面倒くさい。手数料が低いなど……。

　法人開拓をする損保の賠責から提案していくと、決算書の入手もできるようになる。

　1社専属の生保人は、損保の賠責を売れる人とコラボするのもいいかもしれないが、損保メインの人でも賠責を苦手としている人が多い。

　ところで、最近、若手の銀行員が生命保険会社の代理店営業部門に転職をしていると耳にします。

　生命保険会社は儲けまくっているから、転職をすると給料が2〜3割増なんて当たり前なんですよ。

簿記2級、チャレンジする価値はある

しのざき総研 @ginkouyushipro 2021年3月1日

今からでも遅くはないので、保険人は簿記2級を取得すべきです。特に、法人生保でも事業保障保険を預かり企業防衛を図りたいと考えているのであればなおさらです。時代は完全に税務から財務にシフトチェンジしました。やるかやらないかは保険人の自由です。 FP2級ではないですよ!!

　保険人は税務の知識は学んでいるが、財務の知識はまったくないといっても過言ではない。

　それは税理士も同じ。顧問先が上記のことを求めているのに気づいても取り組もうとはしない。特に、銀行融資については、相当なニーズがあるにもかかわらず、相談を軽く受け流すケースがほとんどだ。

　経営計画策定・資金繰り管理・銀行対策も、実効支援ができないと、中小企業の財務的企業防衛は図れない。

この類の話を元銀行員の保険人に話をすると、実務はできないのに知ったかぶりをする。じつに残念だ。

　簿記2級、受かるのであれば取得したほうがいいですね。でも多分受かんないでしょう。頭固くなっちゃってて。
　生命保険をやっている連中って、結構いい大学出てるんですよ。だけど、見込み客の発掘に大学までの勉強がまったく使えないんですね。

　簿記の学校までいかなくてもいいけど、仕訳がわからないとお客さんの前でしゃべれないわけですよ。
　英語の読解ができても、しゃべれなければ意味がないでしょう。
　頭のいい保険人っていうのは、私のところにきて、「ワーディング」って私は言ってるんだけど、言葉だけ覚えて、自分でつなげて相手に伝えることができる。
　でもほとんどは、それすらできてない。
　簿記がわかってないのに、なんで経営者の前でしゃべれるんだって。

保険は掛け捨てのほうが絶対に得

> **しのざき総研** @ginkouyushipro　2021年4月20日
>
> いまだに法人生保で損金性の高い保険の提案をすることしか考えていない保険人が多い。損金性の高い保険に加入するよりも、掛け捨て保険のほうがよっぽど得になることを経営者に提案ができる保険人は少ない。令和に入り保険業界の潮目は完全に変わった。無駄な抵抗をしても意味がないのだ。

　掛け捨ては損だと思っている人が多い。

　社長さんは、掛け捨ては保険料を捨てることになるのでもったいないと勘違いする傾向があるので、積み立てのある保険料の高いタイプの生命保険に加入しがちだ。

　でも、損ではないんですよ。それは自分が健康でいる証だから。万が一のことが起きてもいいようにってことでしょう。

　売上と利益が上がってて、そこで税金を払えて、給料も

払えて、銀行の借金も返せるんだったら、それで幸せじゃないですか。

　しかしそのことをしゃべれない。
　保険人の言っている損金は、残る損金のことです。
　経費として落ちるんだけど、それが掛け捨てじゃなくてお金が貯まる損金って形で言っているから。おかしいでしょ。

　私は掛け捨てを推奨です。
　保険人の言っている損金は違いますからね。
　保険人が言っている損金は、経費として落とすってことじゃなくて、貯蓄としても節税効果が高いってことを言ってるんです。

　一方、コロナ融資でお金が余っている会社に保険人が訪問をして、生命保険の契約をしているという話も聞く。
　保険人もこれからかなり淘汰されていくと思うが、融資金のお金を使って生命保険に加入させる保険人の神経が、私には到底理解できない。
　もちろん契約する社長にも問題はあるが。

経営者は遺言書を定期的に作成し見直せ

> **しのざき総研** @ginkouyushipro　2021年11月12日
>
> 保険人は、決算書を預かっても財務分析はできない
> のに、何をしているのか。中小企業の多くは粉飾を
> しているのに、表面の財務分析をしても意味がない
> ことを知らない。必要保障額も当然ブレてくる。保
> 険会社が財務についての本質を保険人に伝えていか
> ないと、契約者に迷惑をかけることを忘れてはなら
> ない。

　決算書を預からないと売れなくなってきているんです
よ。キーワードなんかじゃ法人生保は売れないんです。

　未来に対しての起こりうるべきリスク、いま死んじゃっ
たらお金はいくら必要か。決算書を預かり、未来の話をし
たうえで見合った保険を提案するってことです。

　保険人は、生保や損保の保険提供やメンテナンスはでき

るけど、リスクマネジメントができるのか。特に、法人の
リスクマネジメントは保険人には無理だと思う。
　会計知識が薄いし、経営計画の策定・資金繰り管理・銀
行融資を含む管理会計の知識もないから。

　結局は表面上の財務分析しかしていない。税理士も保険
人も表面だけ取り繕ってるだけです。

　保険人は怖いですよ。そこに責任がないから。経営者が
死んじゃったら死人に口なしでわからないでしょ。
　だから、経営者は定期的に遺言書の作成をして、見直し
をしなきゃいけないんです。
　自分にもしものことがあったらどう対応しろって、日ご
ろから周囲に言っているんだったらいいんだけど。

相続放棄したら1円も残らない！

> **しのざき総研** @ginkouyushipro　2021年3月4日
>
> 事業承継をする前に、自社株対策に保険人が尽力していることは間違いない。ただ、連帯保証債務のケアをしている保険人はほとんどいない。それは財務を知らないから！　それは経営をしたことがないから！　それは事業融資の借金をしたことがないから！　保険人よ、財務すら知らないのに事業承継の話をしたらダメよ。

　多くの保険人は連帯保証債務のケア、ほとんどしていないですね。連帯保証債務って、相続税とは直接関係ないんですよ。連帯保証債務は、連帯保証人が亡くなったときに、相続人は90日以内に「相続放棄」の手続きをしなければ、連帯保証債務を引き継がなきゃいけないんです。でも相続税の計算には関係ないんです。

　なかには「相続放棄すれば借金払わなくていいんだ

ろ？」って言う人もいます。

　たしかにそれは正解です。そのかわりあなたの家族には1円もお金が残らないし、不動産も没収されるからね。

　ただし、個人で受け取る生命保険は受取人が決まっている固有の財産だから、相続放棄してももらえる。じゃあそこで、最初から相続放棄するための経営やってんのって。やってるわけがない。だから、計画を作りなさいってことを言っているんです。

　そこから生命保険に入るか入らないか決めるんですよ。私はそう言っていますが、保険人はこういうことを話せないんですね。

　相続人が相続放棄すると、銀行融資もそこでストップします。連帯保証人としての負債はそこで消える。そのかわり相続人には1円も残らない。それと、第3順位の相続人まで相続放棄の手続きをしないと完結しない。

　無理して法人で保険に入る必要はないんですよ。この問題は、未来に向けての計画をしっかり作ったうえでの判断ですかっていう問いかけなんです。

　みんな会計ってものを軽く見ているから痛い目にあう。過去・現在・未来って形で、時間軸になぞらえて振り返りができて予測ができないと、先に進もうと思ったときのエネルギーが溜まりませんよ。

おわりに

　最後まで読んでいただき、ありがとうございます。

　日本の中小企業は正念場に立たされています。
　新型コロナウイルス感染の影響で、人流を意図的に数年
も止められて、ソーシャルディスタンスやリモートワーク
が日常になってしまいました。その結果、「7割経済」とい
う言葉まで登場しています。
　また、外部環境の変化としては、急激な円安、原油価格
の高騰、ウクライナ・ロシア紛争などによる多方面の影響
で、物価上昇に歯止めがかからなくなっています。

　あくまでも私の仮説ですが、令和4年冬以降に、中小企
業の新規融資を大々的に支援するような政策は、したくて
もできないのではないかと思います。
　雇用調整助成金についても同様なことが言えます。
　この2つの支援があったお陰で、本業の儲けである営業
利益が赤字になったとしても、ほとんどの金融機関は資金
繰り支援をしてくれていました。
　ちなみに、今後は営業利益が2期連続で赤字計上するよ
うな融資先については、既存融資の元金返済を一時的に猶

予するリスケジュールに応じるだけでしょう。

　「社長」から「経営者」に行動変容ができない人は、厳しい令和時代を生き抜くことはできないと思います。
　保険人や会計人も同義です。
　社長さんとお付き合いをするのであれば、彼らも自分たちの有利な方向で仕事ができますが、経営者になると、銀行も含めて自分たちの有利な方向で事を運ぶことができなくなります。
　なぜなら、経営者となり経営管理ができるようになると、ムリやムダを意識して省くようにもなりますし、Why（なぜ？）という思考になり、物事をよく考えてから結論を出すようになるからです。

　時代は完全に変わりました。変わってから「あの時に〜〜しておけばよかった」と後悔しても手遅れです。
　この本で経営者になるためのヒントをつかんでいただき、それが明日への道標の一つになれば幸いです。

著者

【著者紹介】

篠﨑 啓嗣（しのざき・ひろつぐ）

株式会社しのざき総研 代表取締役
日本財務力支援協会有限事業責任組合代表理事
一般社団法人銀行融資診断士協会代表理事

大学卒業後、群馬銀行入行。在籍10年間のうち融資及び融資渉外を通算9年経験。融資案件800件を通じて財務分析・事業性評価のスキルを身につける。その後、日本生命、損害保険ジャパン、事業再生コンサルティング会社等でリスクマネジメント、経営計画策定、資金繰り実務などに携わる。
代表作『社長さん！ 銀行員の言うことをハイハイ聞いてたら あなたの会社、潰されますよ！』（すばる舎）は10万部を超えるヒットとなる。ほかに『SWOT分析を活用した「根拠ある経営計画書」事例集』『社長！こんな会計事務所を顧問にすればあなたの会社絶対に潰れませんよ！』（マネジメント社、共著）など、著作は10冊以上。

㈱しのざき総研 https://shino-souken.co.jp/
日本財務力支援協会 http://zaimu-mado.com/
一般社団法人銀行融資診断士協会
https://ginkouyushishindan.com/

マネジメント社 メールマガジン 『兵法講座』

作戦参謀として多くの実戦経験があり、兵法や戦略を実地検証で語ることができた唯一の人物・大橋武夫（1906〜1987）。この兵法講座は、大橋氏の著作などをベースとして現代風にわかりやすく書き起こしたものです。
ご購読（無料）は https://mgt-pb.co.jp/maga- heihou/

社長！「経営者」になる気がないなら今すぐ退場しなさい！

2023 年 1 月 20 日　初版第 1 刷　発行

著　者　　篠﨑 啓嗣
発行者　　安田 喜根
発行所　　株式会社 マネジメント社
　　　　　東京都千代田区神田小川町 2 - 3 - 13
　　　　　M&C ビル 3 F（〒 101 - 0052）
　　　　　TEL 03 - 5280 - 2530（代表）
　　　　　https://mgt-pb.co.jp
印　刷　　中央精版印刷 株式会社